UN AMOUR DE PRINCE

UN AMOUR DE PRINCE

DELLY

UN AMOUR
DE PRINCE

LIBRAIRIE JULES TALLANDIER
17, rue Remy-Dumoncel PARIS (XIVe)

PREMIÈRE PARTIE

UN AMOUR DE PRINCE

4 juillet

Je suis reçue au brevet supérieur, avec félicitations. En dépit de la lourde chaleur
d'orage, j'étais plus légère en sortant de la
Préfecture, et c'est d'un pas alerte que j'ai gagné la rue Saint-Louis. Nous habitons là une
petite maison étroite, décrépite à l'extérieur,
mal agencée intérieurement, qui date du règne de Louis XV et semble n'avoir reçu depuis qu'un minimum de réparations indispen-
sables. Berthe, la servante, m'ouvrit la porte
écaillée, devenue d'une indéfinissable nuance.
Elle me demanda, sans que d'ailleurs sa voix
et son large visage placide témoignassent
d'aucun intérêt :

— Eh bien ?

Tranquillement, comme elle, je répondis :

— Reçue, Berthe.

Elle murmura : « Ça va bien. » Et je montai l'escalier usé, qui craquait sous mes pas, j'entrai dans le salon, grande pièce à boiseries grises à peine meublée de quelques sièges, d'une table et d'une armoire. Près de la fenêtre ouverte, ma tante tricotait. Elle leva la tête et demanda :

— Avez-vous réussi, Odile ?

— Très bien, ma tante, avec félicitations du jury. Je suis contente, mais j'ai bien chaud.

Je m'assis en face d'elle et enlevai vivement mes gants, mon chapeau. Elle me regardait, en faisant glisser l'une contre l'autre ses longues aiguilles. Ses yeux pâles clignotaient un peu sous ses paupières ridées. De nouveau, je ressentis cette impression désagréable qui m'a plus d'une fois saisie, quand ce regard se pose sur moi. Très droite par nature, j'ai la sensation d'un mensonge se cachant sous la douceur étudiée de cette physionomie, de cette parole lente. Jamais je n'ai aimé Mme Herseng. Et j'ai l'intuition qu'elle, non plus, ne m'aime pas. Nous vivons néanmoins en bons termes, mais froidement, sans intimité. Et si parfois l'impression d'antipathie s'augmente chez moi, j'ai toujours réussi à n'en laisser rien paraître. Car enfin, quelle que soit la nature de ma tante, je lui dois de la reconnaissance. Elle m'a recueillie quand j'étais jeune, à la mort de mes parents, et m'a élevée de ses deniers, bien qu'elle soit peu fortunée. Voilà des choses qui ne peuvent s'oublier, quand on a un peu de noblesse dans le cœur. Aussi, me suis-je toujours efforcée d'entourer d'attentions Mme Herseng, surtout depuis deux ou trois ans où je la vois vieillir, devenir rhumatisante. En outre, elle est la seule parente qui me reste, seconde considération propre à m'inciter aux devoirs qui ne me sont pas toujours faciles à son égard, je l'avoue.

Pendant un long moment, nous sommes restées silencieuses. J'éventais avec un mouchoir mon visage empourpré. Ma tante me regardait toujours, de cet air de côté que je n'aime pas. Elle dit enfin :

— Il va falloir aviser à trouver des élèves, maintenant.

Je fis oui de la tête. Puis j'ajoutai :

— Jeanne Duroc m'a donné une idée : c'est de mettre une annonce dans les journaux locaux. Beaucoup d'étrangers s'installent à Versailles pendant l'été. Je pourrais peut-être trouver à donner des leçons de français, ou bien accompagner des jeunes filles et m'entretenir avec elles, tout en visitant le parc et les Trianons. Ensuite, je tâcherais d'avoir une situation stable pour l'hiver.

Ma tante approuva :

— Oui, ce serait bien aussi. Préparez la note, vous la porterez demain aux principaux journaux.

— Je crois qu'il serait bon de la mettre aussi dans quelques quotidiens anglais. C'est une dépense, mais elle pourra me rapporter.

J'ai gagné ma chambre, au second étage, sous les toits. Elle n'est qu'à demi mansardée. Bien qu'elle soit très simplement meublée, glaciale en hiver, trop chaude en été, je m'y plais parce qu'elle donne sur des jardins et que j'ai ainsi tout au long de l'année de l'espace devant moi. Des hirondelles, au printemps, viennent loger sous le rebord du toit, et chaque soir, elles animent le silence de leurs petits cris perçants. Des roses s'épanouissent dans le parterre voisin, une glycine s'allonge sur un mur roux, et toutes ces fleurs m'envoient leurs parfums, à l'heure où le soleil s'éteint.

J'ai rapidement changé de robe et je me suis recoiffée. Dans la petite glace entourée de bambou, j'ai considéré un moment mon visage, encadré de la masse légère des cheveux couleur d'or foncé qui tombaient sur mes épaules. Mes yeux, d'un bleu d'eau profond,

éclairent la blancheur délicate du teint. Je me
sais jolie. Personne ne me l'a dit, mais bien
souvent, au-dehors, des regards admirateurs
se sont attachés sur moi. J'en suis infiniment
plus gênée que satisfaite. Au nombre de mes
défauts, je ne compte pas la coquetterie ni
la vanité et, si jeune que je sois, je sais déjà
que la beauté est une entrave et un danger
pour la femme obligée de gagner sa vie, surtout quand elle est dépourvue de famille,
comme moi. Mais je pense avec confiance :
« Dieu me protégera. Il me fera passer sans
dommage au milieu des périls, si je garde mon
cœur honnête et droit. »

J'ai commencé à tordre mes cheveux d'une
main distraite. Et voici que ma pensée s'est
évadée un instant. J'ai revu deux grands yeux
sombres, deux yeux superbes et vifs, dans un
beau visage d'homme. C'était hier matin.
Pour reposer un peu mes nerfs fatigués par la
somme considérable de travail fournie en ces
derniers temps, je me promenais dans le jardin du roi. Devant moi, en sens inverse, un
jeune homme s'avançait. Je remarquai machinalement qu'il était grand, svelte, et fort élégant d'allure, d'une élégance sobre et distin-
guée qui ne court pas les rues, de nos jours
surtout. Quand il me croisa, je sentis que son

regard m'effleurait. A peine avais-je fait quelques pas qu'une voix dit derrière moi :

— Vous perdez votre livre, mademoiselle.

Je me détournai. Le jeune homme tenait à la main le volume que je portais sous mon bras et qui venait de glisser à terre sans que je m'en aperçusse.

— Oh ! merci, monsieur !

Je pris le livre, en rougissant très fort. Ce n'est pas que je sois timide, cependant. Faut-il penser que la souriante douceur de ces yeux magnifiques un instant attachés sur moi a été la cause de cette émotion passagère ?

Puis le jeune homme souleva son chapeau, s'inclina légèrement et s'éloigna, tandis que je reprenais ma route.

Pourquoi cet insignifiant incident m'est-il revenu à l'esprit ? Pourquoi l'ai-je noté sur ce cahier ? En vérité, j'ai autre chose à faire que de m'attarder à cela.

Dix heures du soir. — Je viens de remonter dans ma chambre, après avoir fait, comme chaque jour, la lecture du journal à ma tante.

Celle-ci somnolait, tandis que je lisais d'une voix molle, car la chaleur est étouffante, ce soir, et l'intérêt du journal, aujourd'hui, assez peu palpitant. J'ai passé rapidement sur les nouvelles politiques, qui n'intéressent pas

Mme Herseng. En revanche, elle me fait toujours lire le carnet mondain, surtout quand il est question de personnalités étrangères. J'avoue que, pour mon compte, tous ces inconnus aux titres nobiliaires pour la plupart, et leurs faits et gestes, me sont parfaitement indifférents. Mais enfin, il ne faut pas discuter des goûts d'autrui.

Très chargé, aujourd'hui, le carnet mondain. Le « Tout-Europe » part en villégiature. A demi endormie par la lourdeur orageuse, j'ai lu ceci : « Les princesses Charlotte et Hilda Drosen se sont installées avec leur suite à l'hôtel des Réservoirs, à Versailles, où le prince Drosen, notre fidèle hôte parisien, a aussi retenu un appartement. »

J'ai fait remarquer :

— On villégiature beaucoup maintenant à Versailles. Tant mieux ; j'aurai plus de chances de trouver des leçons.

Ma tante est restée silencieuse. Elle avait mis sa main devant ses yeux, comme si la lueur de la lampe la gênait tout à coup. J'ai terminé ma lecture sans qu'elle prononçât une parole. Elle m'a dit alors :

— Merci, Odile. Vous pouvez maintenant me laisser ; j'ai à écrire.

J'ai regagné ma chambre, allumé ma petite lampe, et je me suis assise près de la fenêtre

ouverte pour griffonner encore quelques lignes sur ce cahier. J'aime à lui confier les
menus — très menus — faits de mon existence. Je n'ai pas d'amies. Aucune de mes
compagnes de pension ne me plaît assez pour
que je lui donne ce nom. Quelques-unes sont
de bonnes camarades, voilà tout. Et c'est mon
petit cahier qui reçoit mes confidences.

Ce soir, ma main est un peu lasse en écrivant. La chaleur d'orage m'engourdit. Et
puis, ma pensée s'en va très loin, vers l'Alsace,
le pays de mon père et de ma mère, celui de
ma tante aussi. Elle s'en va vers ces parents
inconnus, dont, sur mon extrait de naissance,
j'ai lu les noms : Jean-Henri Herseng, Marguerite-Odile Defrage. Ma tante m'a toujours
fort peu parlé d'eux. Elle n'est pas communi-
cative, moins encore sur ce sujet-là que sur
d'autres. Ces souvenirs, dit-elle, lui sont pénibles à rappeler, parce qu'elle a beaucoup
aimé mon frère. Ainsi, j'ignore presque tout
de mes parents. Je n'ai même pas un portrait
d'eux. Mon père, au dire de Mme Herseng,
avait toujours négligé de se faire photogra-
phier, soit seul, soit avec sa femme. Il prétendait que c'était de l'argent gaspillé. Leurs
tombes sont à Mulhouse. J'aurais voulu aller
y prier, mais c'est impossible, notre budget
est trop restreint.

Un jour, j'ai demandé à ma tante si je ressemblais à ma mère. Elle m'a répondu :

— Non, à votre père.

Mon enfance a été triste, entre ma tante et Berthe, toutes deux taciturnes et froides. J'ai heureusement une gaieté naturelle. Puis la religion et l'étude me sont puissamment venues en aide. Ma tante paraît une catholique assez tiède ; mais elle m'a fait instruire chrétiennement. Et à mesure que je me développais au moral, la foi plus vive, la ferveur confiante fortifiaient mon jeune cœur avide d'un peu d'affection, d'un peu de joie. Puis l'étude, que j'aimais, remplissait mes journées, tandis que Mme Herseng travaillait seule dans sa chambre, ou bien causait avec Berthe. Ces conversations ont lieu en allemand, la servante parlant difficilement le français. A ce sujet, une chose m'a toujours fort étonnée : c'est que ma tante ne m'ait pas appris l'allemand, et ait même refusé que je m'instruise en cette langue.

— Choisissez l'anglais, m'a-t-elle déclaré. Cela vous sera beaucoup plus utile.

— Mais il faudra que vous payiez pour ces leçons, tandis que si vous m'enseigniez l'allemand, cela ne vous coûterait rien.

Elle riposta sèchement :

— Ce que je parle n'est pas de l'allemand,

mais du patois alsacien. D'ailleurs, je n'ai pas
la vocation de maîtresse d'école.

Je me le tins pour dit. Mais il y avait à la
pension une petite Allemande fort aimable,
avec laquelle j'entrepris de converser dans sa
langue. A l'aide de mes maigres économies,
j'achetai une grammaire d'occasion, que j'appris d'un bout à l'autre. Et aujourd'hui, je
sais l'allemand sans que ma tante s'en doute.

Au fond, j'ai quelque remords de cette dé-
sobéissance, de cette cachotterie. Elle devait
avoir ses raisons pour m'interdire l'étude de
cette langue. Mais quelles raisons ? Je les ai
cherchées en vain...

Qu'il fait chaud ! Pas un souffle d'air. Des
éclairs déchirent la nuit, au loin, et voici que
l'orage gronde. Je ferme mon cahier. Il est
temps de me mettre au lit, car demain, je
veux aller à la messe de bonne heure pour
remercier Dieu du bon succès de mon examen.

5 juillet

J'ai été porter mon annonce aux journaux.
En revenant de faire une course pour ma
tante, au commencement de la rue de la Pa-

roisse, près du parc, j'ai croisé le bel inconnu
de l'autre jour, accompagné d'un autre jeune
homme blond comme lui, mais beaucoup
moins bien, à ce qu'il m'a semblé. Le premier m'a regardée au passage, longuement. Et
j'ai senti cette maudite rougeur qui me montait aussitôt au visage. Quelle sotte je suis !
Et quel impertinent est ce monsieur ! Cependant, il paraît si distingué ! Et quelle allure
ferme, quelle façon fière de porter la tête !

6 juillet

Je l'ai revu encore. Cet après-midi, je pas-
sais devant le Grand Trianon au moment où
s'arrêtait la plus superbe automobile que j'aie
jamais rencontrée. Je ralentis le pas pour l'admirer. Un valet de pied en livrée bleu sombre
ouvrit la portière. J'aperçus le jeune homme
qui sautait à terre, puis se détournait pour
enlever dans ses bras une toute jeune fille
vêtue de blanc, dont je distinguai le mince
visage pâli sous la grande capeline qui la
coiffait. Je passai vite, ne me souciant pas
d'être taxée de curiosité indiscrète. En revenant, je me suis amusée à bâtir des hypothèses sur ces inconnus. Ce sont des gens très

riches, évidemment. La jeune fille en blanc doit être sa sœur, à lui. Comme elle semble frêle, maladive ! Peut-être, au milieu de son luxe, a-t-elle envié l'inconnue modestement vêtue qui passait, bien portante, d'un pas alerte !

Oui, mais si vous êtes entourée d'affection, petite étrangère, vous êtes cependant — en dehors même de votre fortune — infiniment plus riche que moi.

8 juillet

Mon annonce a paru dans les journaux de Versailles. Je souhaite vivement de gagner quelque argent pour dédommager ma tante de ses sacrifices. Je dois dire à sa louange qu'elle ne m'a jamais rien reproché à ce sujet. Mais notre existence mesquine me donne à penser qu'elle a dû se gêner pour m'entretenir et m'élever, et je veux la délivrer au plus tôt de la charge que je représente pour elle.

14 juillet

Je suis encore toute frémissante de la scène que je viens d'avoir avec ma tante. Mais c'est incompréhensible... incompréhensible !

Il y a une heure, je travaillais dans la salle
à manger, qui occupe avec la cuisine tout
l'étroit rez-de-chaussée. On sonne. Le fait est
assez rare à cette heure, ma tante n'entrete-
nant aucune relation. Je pense avec un petit
battement de cœur : « C'est peut-être une
leçon ! » Et, bien vite, sans attendre que Berthe, toujours lente, se soit mobilisée, je cours
ouvrir.

Fort heureusement, ayant déjà les joues
empourprées par la chaleur, je ne pouvais
rougir davantage. Car je restai tout interlo-
quée en voyant devant moi le bel inconnu.
Il se découvrit en demandant :

— Est-ce bien ici que demeure Mlle Herseng ?

— C'est ici, monsieur.

— Vous avez mis une annonce dans *le
Times,* mademoiselle ? Je viens à ce sujet.

— Ah ! très bien, monsieur !... Veuillez
entrer.

Je l'introduisis dans la salle à manger. Jamais encore, je ne m'étais trouvée aussi embarrassée. Dominant ma gêne, j'offris une
chaise au visiteur et m'assis en face de lui. Il
prit aussitôt la parole, d'une voix harmonieu-
sement timbrée où se discernait un léger accent étranger.

— Accepteriez-vous,   mademoiselle,   de

passer deux ou trois heures chaque après-
midi près de ma sœur, pour perfectionner
son français, et surtout pour la distraire, car
elle est souffrante, et souvent triste. Vous
auriez à lui faire la lecture, à l'accompagner
même dans sa promenade, quand elle le dési-
rerait. En un mot, vous rempliriez près d'elle
l'office de demoiselle de compagnie, pendant
quelques heures, avec mission de changer un
peu ses idées, de l'égayer, car vous devez être
gaie, n'est-ce pas ?

Comment l'a-t-il deviné ? Je ne cherchai
pas à me l'expliquer, la surprise et l'émotion
mettant mes idées un peu en désarroi. Et je
répondis :

— Oui, je le suis, monsieur. Et je crois
vraiment pouvoir accepter la tâche que vous
m'offrez.

Il sourit. Et ce sourire répandit tout à coup
un charme incomparable sur le beau visage
fier, dans les yeux si profondément expres-
sifs.

— J'en suis très heureux. Je désirais depuis longtemps voir près de ma sœur une
compagne jeune et gracieuse, qui pût lui devenir sympathique. Je crois que vous réali-
sez l'idéal, mademoiselle.

C'était un compliment. Le ton de l'étranger, la discrète admiration de son regard ne

laissaient pas de doute à cet égard. Mon embarras s'en accrut.

J'objectai :

— Je ne puis accepter cependant sans prendre l'avis de ma tante. Permettez-moi d'aller la chercher.

Et je montai vivement jusqu'au salon où travaillait Mme Herseng. Je l'informai de l'événement. Elle demanda :

— Est-ce un Anglais ?

— Je ne pense pas. Il a plutôt un accent allemand, très peu accentué.

Les sourcils de ma tante se rapprochèrent.

— Ah !... je n'aime pas les Allemands.

— Moi non plus, mais ce n'est peut-être pas un Allemand. Quoi qu'il en soit, ce n'est pas une raison pour refuser.

— Evidemment. Mais encore faut-il savoir quelle sorte de gens... Ce monsieur vous a-t-il dit son nom, et où il habitait ?

— Non, pas encore. Voulez-vous venir, ma tante ? Vous verrez par vous-même.

Elle descendit avec moi. L'étranger se leva à notre entrée, salua Mme Herseng et exprima son regret d'être la cause d'un dérangement pour elle — le tout avec une courtoisie légèrement condescendante, un peu hautaine même. Puis il demanda :

— Eh bien ! madame, autorisez-vous ma-

demoiselle votre nièce à accepter la proposition que je lui fais ?

Ma tante le regardait avec une attention
qui lui déplut sans doute, car je vis se froncer
légèrement les sourcils foncés qui, de même
que les cils, forment un contraste séduisant
avec les cheveux blonds.

Mme Herseng répondit d'un ton hésitant :

— Je ne sais encore, monsieur... Il faudrait
que nous soyons renseignées...

— Sur les gens à qui vous avez affaire ?
C'est naturel. Je suis prince de Drosen, de
passage à Versailles où ma tante et ma sœur,
les princesses Charlotte et Hilda, sont installées à l'hôtel des Réservoirs.

La révélation de cette haute personnalité
m'abasourdit un moment, non pas, cependant, au point que je ne fusse frappée du
tressaillement qui courut sur le visage de
ma tante, et du singulier blêmissement de
son teint. Il me parut même qu'elle avait eu
comme un mouvement de recul. Et elle balbutia :

— Le prince de Drosen... Oui, en effet, je
sais...

Il dit en souriant :

— Vous voyez donc que vous n'avez pas
affaire à des aventuriers... La question des

émoluments n'a pas encore été traitée entre
nous ; mais je tiens à vous dire que votre
chiffre sera le mien et que...

Mais ma tante l'interrompit, d'une voix un
peu saccadée que je ne lui connaissais pas.

— Il faut que nous réfléchissions... Je vous
prie de m'excuser... Mais je ne suis pas encore décidée à laisser ma nièce courir ainsi le
cachet...

Ça, c'était trop fort ! Elle-même m'y avait
encouragée. Je ne pus réprimer un mouvement de stupéfaction. Le prince la regarda
avec surprise en disant :

— Cependant, madame, vous avez fait
mettre l'annonce ?...

— Oui... certainement. Mais je le regrette.

Quelque chose changea sur la physionomie
du jeune homme. Une impatience irritée traversa son regard, tandis qu'il ripostait d'un
ton hautain :

— Vous auriez dû réfléchir auparavant
pour éviter des démarches inutiles... Enfin,
veuillez me dire si, oui ou non, je puis compter sur mademoiselle ?

— Je... je crois que non, monsieur.

Un mouvement de protestation m'échappa.
Le prince s'en aperçut, car il me dit aussitôt :

— Ce n'est pas votre avis, mademoiselle ?

Ah ! certes non ! Quelle idée nouvelle avait donc germé dans le cerveau de ma tante ? Mais je ne pouvais entrer en discussion avec elle devant un étranger. Je répondis en essayant de parler avec calme :

— Non, monsieur. J'étais décidée à accepter. Mais puisque ma tante en juge autrement...

Il dit d'un ton bref — le ton d'un jeune homme excessivement mécontent — mais qui se contient :

— Vous réfléchirez. J'attendrai votre réponse jusqu'à demain matin.

Il avait l'air très intimidant, en ce moment, un air de prince irrité qui lui allait fort bien. Je vis ma tante baisser les yeux en prenant une mine humble que je ne lui connaissais pas.

— Veuillez m'excuser...

Il ne parut pas l'entendre. Se tournant vers moi, il dit d'un ton plus doux :

— J'espère, mademoiselle, que j'aurai demain le plaisir d'annoncer à ma sœur que vous acceptez.

Il s'inclina légèrement. Je vis alors ma tante esquisser un mouvement comme si elle allait plonger en une révérence. Mais elle se contenta de saluer profondément.

-:-

Le prince sorti, je la regardai en disant d'une voix qui tremblait de stupéfaction et de colère :

— Voulez-vous m'expliquer, ma tante, quelles sont les raisons de ce refus ?

Ses yeux se détournaient des miens. Oh ! ce regard de côté, ce regard sans droiture que je n'aime pas, comme elle l'avait en ce moment !

— Cette proposition était inacceptable.

— Comment, inacceptable !

— Je ne parle pas au point de vue pécuniaire... Mais... c'est une situation qui ne peut vous convenir. Le prince de Drosen, que vous verriez naturellement souvent près de sa sœur, est... très peu sérieux.

— Comment le savez-vous, ma tante ?

La question parut un moment l'embarrasser fort. Elle répondit en balbutiant un peu :

— Mais... mais c'est connu.

— Connu, comment ? Vous ne voyez personne et vous ne lisez rien, que je sache, qui puisse vous renseigner au sujet de cette famille.

— Tous ces jeunes princes passent une partie de leur existence à Paris et ne songent qu'à s'amuser. Tenez, comment expliquez-vous que ce soit lui qui s'occupe, en personne, d'engager une demoiselle de compagnie pour sa sœur, alors qu'il y a la tante et les dames de la suite des princesses, toutes désignées pour des démarches de ce genre ? Pourquoi s'est-il dérangé lui-même pour venir ici, alors qu'on sait combien tiennent à l'étiquette tous ces princes...

Elle s'interrompit, toussa comme si elle s'étranglait et reprit :

— Il a dû vous remarquer dehors et vous a fait suivre pour connaître votre adresse. Puis l'annonce du *Times* lui est tombée sous les yeux. Il a saisi l'occasion...

Je la considérais avec ébahissement :

— En vérité, ma tante, c'est vous qui imaginez des choses...

— Des choses très vraisemblables. Après le quasi-refus que je lui ai opposé, un homme comme lui, habitué à voir tout céder devant le moindre de ses désirs, aurait dû nous dire carrément : « C'est bon, restez chez vous. » Au lieu de cela, il attend notre réponse jusqu'à demain — preuve qu'il tient extrêmement à vous voir accepter sa proposition.

La présence d'esprit me revenait. Je ripostai avec un peu d'ironie :

— Voilà des suppositions absolument gratuites, ma tante. Pourquoi ne pas penser, plu-

tôt, que le prince, avant de m'introduire près
de sa sœur, tenait à me connaître un peu ?
Mais en tout cas, il faut dire que, de toute
façon, devant gagner ma vie, je suis exposée
à bien des dangers. La grâce de Dieu me sou-
tiendra, si je ne suis pas présomptueuse et
sais implorer mon secours. Et il me semble
que, raisonnablement, je puis toujours accepter cette situation, quitte à me retirer si quelque chose me déplaît de la part du prince de
Drosen ou de son entourage.

Tout en parlant, je remarquais la singulière physionomie de ma tante. Sa bouche
avait une sorte de frémissement, et son regard,
comme gêné, se détournait. Elle dit brusquement :

— Non, je ne veux pas que vous vous ex-
posiez ainsi. Je vais répondre au prince que
vous n'irez pas.

Pour comprendre ma surprise devant une
décision ainsi motivée, il faut savoir que ma
tante ne s'est jamais inquiétée de moi, moralement, alors que, fillette et jeune fille, j'allais
seule par la ville, libre d'agir à mon idée. Seules, ma très vive piété et mon instinctive horreur du mal m'ont préservée. Il me semblait
donc stupéfiant, et parfaitement incompréhensible, de voir Mme Herseng manifester
des craintes qui m'eussent paru fort légitimes

venant d'une personne plus soucieuse de ma conduite, en temps ordinaire. Et puis, je trouvais bien vagues ses hypothèses au sujet du prince de Drosen. Pourquoi imaginer toutes ces inventions romanesques ? Je ne crois pas du tout qu'un homme bien élevé use de moyens détournés comme ceux dont parle ma tante. Qu'il me trouve jolie, c'est possible, et même j'en suis sûre. Mais je me tiendrai de telle sorte qu'il n'ait jamais l'idée de me le dire. Une honnête femme doit savoir se faire respecter, fût-ce par un prince. Et, comme je l'ai dit à ma tante, les mêmes dangers m'attendent partout ailleurs, quelque situation que je prenne.

Son refus me paraissait donc extraordinaire. Cédant à un soupçon vague que m'inspiraient sa mine bizarre et ce changement de visage quand le prince avait dit son nom, je m'écriai :

— Vous avez d'autres raisons que celles-là !... des raisons que vous ne voulez pas me dire !

Elle tressaillit encore, comme tout à l'heure, et parut troublée. D'une voix qui ne me semblait pas très sûre, elle dit vivement :

— Quelles raisons voulez-vous que j'aie ? Je ne connais pas autrement le prince de Dro-

sen... Je suppose seulement qu'il est comme
la plupart des jeunes gens...

— Vous supposez... On peut aller loin avec
cela, et manquer toutes les situations qui se
présentent. Je ne vous comprends pas du
tout, ma tante. Vous n'aviez pas coutume
d'être si craintive pour moi.

— Eh bien ! j'ai eu tort. En y réfléchissant,
vous êtes encore trop jeune pour ce métier
d'institutrice ou de demoiselle de compagnie.
Attendez, nous verrons plus tard.

Elle essayait de parler avec autorité. Mais
son regard se détournait toujours du mien, et
je voyais ses lèvres trembler d'impatience ou
de gêne.

Le fond de ma nature n'est pas pacifique.
Ces paroles, cette attitude m'exaspérèrent. Je
dis avec une ironie frémissante :

— Ainsi, il vous a fallu arriver à aujour-
d'hui pour décider cela, subitement, alors que
depuis mon enfance vous m'avez toujours
dit : « Vous devrez gagner votre vie de bonne
heure, car vous n'avez rien, et moi je ne suis
pas riche. » Quel effet a donc produit sur
vous ce prince Drosen pour vous faire ainsi
changer d'idée ?

Je vis alors son visage blêmir de nouveau,
et — oui, cela j'en suis certaine — une sorte
d'affolement passer dans son regard. Elle

abaissa un moment ses paupières. Puis elle
dit avec effort :

— Eh bien ! allez-y donc... allez-y chez
votre prince. Il est assez séduisant, en effet,
pour que vous soyez satisfaite qu'il vous fasse
la cour. Mais je vous ai prévenue, et je dé-
gage maintenant toute ma responsabilité. Ce
qui arrivera sera votre faute, souvenez-vous-
en, Odile.

Elle appuya beaucoup sur ces derniers
mots. Puis elle sortit de la pièce.

Alors, je suis montée aussi, je me suis assise près de ma fenêtre pour mieux réfléchir.
Mais je ne pouvais pas d'abord. Trop d'irritation bouillonnait en moi. Elle s'apaisa par
degrés. Et je pensai alors que j'avais eu tort
de parler ainsi à ma tante. Elle a peut-être
raison, après tout. Son âge, son expérience
de la vie, la rendent plus apte à prévoir bien
des choses. Ce prince de Drosen, si séduisant, peut en effet mener une vie peu exem-
plaire. Moi-même, je l'ai intérieurement
traité d'impertinent, l'autre jour, quand il
m'a regardée au passage avec un peu trop
d'attention. Il est vrai que beaucoup d'autres font de même, et d'une façon plus har-
die, plus insolente. Je me contente de détourner froidement les yeux. C'est une chose
que je ne puis éviter — et après tout, en y

réfléchissant, le regard du prince de Drosen
était discret, très discret. Je ne sais pourquoi il m'a fait rougir ainsi.

Mais je me suis montrée ingrate, imperti-
nente pour ma tante, tout à l'heure. Elle agit
pour mon bien, certainement...

Je me répète cela, et je ne puis parvenir
à le croire. Quelque chose, dans le ton, les
paroles, l'attitude de Mme Herseng, m'a
frappée, mise en défiance. Tandis que je me
répète : « Elle a raison. Je suis une ingrate »,
une voix murmure au fond de mon âme :
« Elle ment. Il y a autre chose. »

Autre chose ? Mais quoi ? Quelles raisons
peut-elle avoir en dehors de celle-là ?

Et cependant, pourquoi ce nom a-t-il
paru produire tant d'effet sur elle ?

Mon imagination travaille en vain. Je ne
connais rien de la vie de ma tante — pas
plus que de celle de mes parents, d'ailleurs.
Et cela me semble singulièrement bizarre,
en y réfléchissant. Pourquoi, aussi, cette obs-
tination à ne pas me faire apprendre l'allemand ? Cela coïncide avec la répugnance de
Mme Herseng à m'envoyer chez ce prince
étranger, dont nous ignorons, d'ailleurs, la
nationalité exacte. Je n'y peux voir cependant l'effet d'un patriotisme exalté que ma
tante n'a jamais manifesté.

Mais alors, pourquoi ?

Et que vais-je faire ? Dois-je renoncer à cette situation ? Mais peut-être n'en retrouverai-je pas une autre. C'est la seule offre qui me soit encore parvenue. Et cependant, les journaux de Versailles ont paru depuis plusieurs jours.

D'autre part, si vraiment, comme elle le prétend, le prince de Drosen...

Mais j'ai tellement eu l'impression qu'elle disait cela au hasard, que ce n'était qu'une défaite quelconque... et qu'il y avait autre chose qu'elle ne voulait pas me dire, une raison trouble, comme son regard quand il s'est détourné du mien ! Cette raison, elle ne veut pas que je la connaisse, elle ne veut pas que je la soupçonne même d'exister. C'est pourquoi elle m'a dit : « Eh bien ! allez-y... allez-y donc... »

Oui, j'irai, j'irai... Je suis décidée. Peut-être ainsi, arriverai-je à connaître un jour le mystérieux motif de cette résistance de ma tante.

C'est peut-être mal, ce que je fais là. Je devrais me soumettre à son désir, reconnaître qu'elle doit avoir raison de s'opposer à mon projet... Et c'est étrange, je ne peux pas ! Je sens qu'elle agit contre moi, contre mon intérêt... et qu'elle ment. Je sens que je « dois » faire le contraire de ce qu'elle veut.

Je vais écrire au prince que j'irai demain. Mais je ne sais comment tourner ce billet. Je ne suis pas accoutumée à avoir des rapports avec de si grands personnages. Et même, je n'ai jamais été dans le monde. Je serai très embarrassée demain. Il me semble que la révérence doit être obligatoire, mais je ne sais pas la faire. Et ma robe de lainage blanc, datant de l'année dernière, sera-t-elle suffisante dans ce milieu ?

Ce n'est pas ma tante qui pourrait me renseigner, probablement. Bien qu'elle n'ait pas eu l'air embarrassée quant aux manières, tout à l'heure, devant le prince. Elle avait même une façon d'être très particulière, que je ne lui connaissais pas... Peut-être est-elle plus au courant que je ne le pense. Mais, vu les circonstances, je ne me hasarderai pas à lui demander conseil à ce sujet.

Il doit y avoir, autour de ces princes, maints détails d'étiquette que j'ignore. Je crains de faire des gaffes... Voyons, j'ai bien envie de refuser...

Mais je revois cette singulière physionomie de ma tante. Pourquoi ne veut-elle pas que j'y aille ?...

J'irai. Je ferai de mon mieux et ces prin-

cesses, si elles sont indulgentes et bonnes,
excuseront mon inexpérience. Si elles ne le
sont pas... eh bien ! leur opinion m'importe
peu.

17 juillet

Me voilà revenue des Réservoirs. Tout
s'est bien passé. J'étais cependant gênée et
anxieuse en franchissant le seuil de l'hôtel.
Dans l'escalier, je croisai une grande jeune
femme blonde, très élégante, qui me regarda
avec curiosité, me parut-il. Le domestique
qui me conduisait me remit, au premier
étage, entre les mains d'un valet de pied en
livrée bleu sombre à parements filetés d'argent. Je fus introduite dans un salon d'at-
tente où, presque aussitôt, apparut une corpulente dame aux cheveux gris, à la mine
souriante, qui m'annonça que le prince
m'attendait.

A sa suite, je pénétrai dans un second salon. Sur une chaise longue était étendue la
jeune fille vêtue de blanc que j'avais vue
quelques jours auparavant. Elle me tendit la
main et un sourire vint donner un peu plus
de vie à son visage émacié, à ses yeux noirs

comme ceux de son frère, mais souffrants, mélancoliques.

— Je suis bien heureuse de vous connaître, mademoiselle. J'espère qu'avec vous j'apprendrai à parler tout à fait correctement votre belle langue que j'aime tant.

Elle était si simple, si gracieuse en disant cela que tout mon embarras disparut. Je répondis très spontanément que je ferais de mon mieux pour la distraire et l'aider à se rétablir complètement.

— Oh ! je vais déjà mieux depuis que je suis ici, dit-elle tout en me désignant un siège près d'elle. C'est ce qui a décidé mon frère à prolonger notre séjour pour le mois d'août probablement... Chère madame de Griehl, vous pouvez nous laisser jusqu'à l'heure du thé. Mlle Herseng me tiendra compagnie.

La grosse dame dit avec sollicitude :

— Cela ne va-t-il pas vous fatiguer ?

— Non, non, je serai raisonnable.

Mme de Griehl sortit et je restai seule avec la princesse. Nous causâmes d'abord de Versailles, qu'elle aimait beaucoup. Elle parle le français correctement, mais non aussi purement que son frère. Son enfance, comme elle me l'expliqua, a été maladive et, de ce fait, son instruction s'est trouvée né-

gligée. Sa santé paraissant meilleure depuis
un an, le prince céda cette année à un désir
depuis longtemps exprimé par elle et l'emmena à Paris, qu'elle ne connaissait pas.
Mais, peu de temps après son arrivée, elle
tomba malade, très gravement. Quand elle
fut hors de danger, les médecins conseillè-
rent de lui faire quitter Paris pour terminer
sa convalescence. Et voilà comment elle se
trouvait avec sa tante à Versailles, où le
prince, presque chaque jour, venait déjeuner
ou dîner avec elle.

Quand elle parle de lui, on la sent toute
frémissante de tendresse admirative. Orpheline depuis plusieurs années, elle s'est attachée passionnément à ce frère unique, si bon,
si affectueux, assure-t-elle. Pendant sa ma-
ladie, il ne l'a pas quittée, pour ainsi dire,
et aussitôt qu'elle se trouva en convalescence,
il s'ingénia à lui procurer toutes les distractions compatibles avec son état.

— C'est ainsi, ajouta la princesse, qu'il a
songé à me donner une compagne jeune et
gaie, instruite en même temps, capable de
m'intéresser et de m'aider à suppléer sans
fatigue aux lacunes de mon instruction.
Mais il me sait très difficile. Je déteste les
personnes poseuses, les pédantes, les frivoles,
et surtout... oh ! surtout les flatteuses ! Là-

bas, dans notre principauté de Drosen, je n'ai pu encore trouver mon idéal. Ici, les personnes qui sont venues se présenter ne m'ont pas plu. Un jour, miss Hobson, ma gouvernante anglaise, me montra votre annonce dans le journal. Je lève les épaules en disant : « Elle sera comme les autres ! » Mais le prince, qui était là, lit à son tour et dit : « C'est à examiner ; je m'en occuperai. » Et il tenait tellement à me voir rapidement assistée qu'il entreprit lui-même la démarche auprès de vous. Je crois qu'il a parfaitement réussi. Vous me plaisez beaucoup, mademoiselle. J'ai des sympathies spontanées qui, chose rare, ne me trompent guère. Vous devez être très bonne, très loyale. Et comme vous êtes jolie ! Cela, mon frère me l'avait dit.

Oh ! la vilaine bouffée d'amour-propre qui m'est montée au cerveau ! Si peu portée à la coquetterie que soit une femme, il est certains suffrages qui la touchent cependant, en lui faisant prendre conscience d'un charme physique dont elle ne se souciait pas auparavant. Le prince de Drosen, fort mondain, d'après ce que m'a dit sa sœur, est certainement accoutumé à voir nombre de jolies femmes très élégantes. Si, en dépit du cadre et de la tenue également modeste, il ne m'a pas

trouvée trop insignifiante, c'est que... je ne
suis vraiment pas mal partagée sous ce rapport.

Petite vaniteuse que je suis ! Bien vite,
j'ai regretté ce mouvement d'orgueil. La
princesse, sans s'apercevoir de l'effet produit
par sa dernière phrase, continuait à m'entretenir avec une grâce aimable. Elle m'interrogea discrètement sur mes goûts, mon enfance, mon genre d'existence. Je l'ai jugée
très vite une âme délicate, aimante, mais
aisément raidie devant qui ne lui plaît pas.
Sa santé languissante lui a donné une tendance à la mélancolie, qu'elle se reproche
comme peu chrétienne. Catholique, elle m'a
paru animée d'une foi vive, d'une piété très
profonde. Je l'ai trouvée fort attachante,
cette frêle princesse, et ma tâche près d'elle
m'apparaît bien facile.

Un peu plus tard, entra miss Hobson, la
gouvernante anglaise, une bonne personne
très simple que la princesse semble aimer
beaucoup. Elle venait de préparer un remède
que celle-ci doit prendre chaque après-midi.
Une femme de chambre apporta le thé, précédant de quelques minutes Mme de Griehl
qui allait le servir. Puis apparut la princesse
Charlotte, petite femme mince, aux cheveux
gris, aux yeux doux et distraits. Elle était sui-

vie de sa dame d'honneur, la baronne de
Warf, en qui je reconnus la jeune femme
blonde croisée tout à l'heure dans l'escalier.

La princesse Charlotte me serra la main en
se déclarant enchantée de me voir près de sa
nièce qui avait tant besoin de distractions.
Elle est aimable, mais semble toujours un peu
dans les nuages. En tout cas, elle n'est aucunement intimidante.

Mme de Warf aida Mme de Griehl à servir
le thé. Ce sont la tante et la nièce. Mme de
Griehl, ainsi que je l'ai compris, est la dame
d'honneur de la princesse Hilda. Je ne sais
trop pourquoi cette grosse dame souriante
ne me plaît pas. Peut-être parce qu'elle semble appartenir à l'espèce des flatteurs si peu
appréciée de la princesse. La belle baronne
paraît aussi bien insinuante, mais avec plus
d'habileté. Elle est excessivement élégante,
et elle a une aisance d'allures qui montre
combien elle est accoutumée à évoluer dans
ce milieu.

Je suis rentrée un peu avant sept heures,
très satisfaite de cette première journée. Pendant le dîner, ma tante ne m'adressa pas une
question à ce sujet. De tout le repas, nous
restâmes silencieuses. Je lui lus ensuite le
journal. Au moment de me retirer pour monter dans ma chambre, je lui dis franchement,

car ces bouderies ne sont pas dans mon caractère et je souhaitais que la situation fût
bien établie une fois pour toutes :

— Voyons, ma tante, ne continuez pas
votre fâcherie. J'ai peut-être eu tort hier en
vous parlant comme je l'ai fait. Je le regrette
vivement. Oubliez-le, voulez-vous ? La princesse est charmante, et je suis bien sûre de
n'avoir rien à craindre près d'elle.

Mme Herseng tricotait à la lueur de la
grosse lampe voilée d'un odieux abat-jour au
crochet. Elle ne leva même pas les yeux en
me répondant :

— Je me désintéresse de ce que vous allez
faire là. Ne m'en parlez donc jamais, et n'ac-
cusez que vous de ce qui pourra arriver.

Je suis sortie du salon, froissée, irritée, avec
des larmes de colère et de chagrin plein les
yeux. Non, elle ne m'aime pas, cette femme,
ma seule parente ! J'en ai toujours eu l'intuition au cours de mon enfance ; je le sens aujourd'hui surtout, devant cette indifférence
qui me repousse. Pourquoi, alors, cette subite
sollicitude, hier ? Pourquoi ? Pourquoi ?

18 juillet

Je suis retournée chez la princesse. J'étais

à peine assise près d'elle lorsque est apparu son frère. Il alla à elle, l'entoura de ses bras en l'embrassant longuement.

— Comment vas-tu, chérie ?

— Presque bien aujourd'hui. Mais que c'est gentil à toi de me faire cette surprise, Frantz ! Tu m'avais dit que tu ne pensais pas pouvoir venir aujourd'hui.

— J'ai pu, comme tu vois. Nous passerons une bonne soirée, mignonne.

Il se détourna vers Mme de Griehl et moi et nous salua. J'enviai l'aisance de la corpulente dame d'honneur, qui plongeait dans sa révérence. Je dus me contenter de m'incliner profondément. En relevant la tête, je rencontrai un regard souriant et plein de bienveillance.

— Je suis très heureux que madame votre tante vous ait donné enfin cette autorisation qu'elle semblait fort disposée à vous refuser, mademoiselle. Elle doit être un peu... originale ?

— En effet, monsieur.

— Est-elle allemande ? Elle en a l'accent.

— Non, elle est alsacienne.

— Ah ! cela ne me paraît pas l'accent alsacien, cependant. On dirait plutôt celui de notre principauté, moins lourd, un peu chan-

tant. Et vous, mademoiselle, êtes-vous alsacienne aussi ?

— Oui, monsieur. Mon père et ma mère
étaient de Mulhouse.

La voix douce et lente de la princesse
s'éleva...

— Alors, vous ne devez pas nous aimer,
car la principauté de Drosen, enclavée dans
le territoire allemand, indépendante aujour-
d'hui, n'en a pas moins une origine germanique.

Le prince dit vivement :

— Il est une haine commune qui peut
nous rapprocher. Les princes de Drosen ont
toujours détesté les Prussiens.

— Oh ! alors, oui, monsieur, sur ce point-
là, nous nous comprendrons !

— Tant mieux ! Nous aurions été désolés,
la princesse et moi, que vous nous considé-
riez en ennemis... Usez à votre guise de votre
après-midi, madame. Je ne quitterai pas la
princesse et Mlle Herseng voudra bien nous
servir le thé.

La dame d'honneur fit une nouvelle révérence et s'éclipsa, non sans me jeter un coup
d'œil de côté qui me parut légèrement mal-
veillant.

Quel charmant après-midi j'ai passé aujourd'hui ! Le prince Frantz est un délicieux

causeur, très gai et d'un esprit très brillant.
En outre, son intelligence semble extrêmement cultivée. Les sujets sérieux ne le pren-
nent pas au dépourvu et il les traite de façon
profonde, très finement, sans ombre de pé-
dantisme.

Sa sœur l'écoute avec admiration. Mais
comme il l'entoure de tendresse ! Comme il
paraît l'aimer aussi ! Cette affection réciproque m'a fait paraître plus amer mon isolement moral. A un moment, comme la princesse appuyait câlinement sa joue sur la main
de son frère, j'ai senti que des larmes me
montaient aux yeux. Juste à cet instant, le
prince m'a regardée en m'adressant la
parole :

— Vous vous destinez à l'enseignement,
mademoiselle ?

— Oui, monsieur.

A-t-il vu ces maudites larmes ? Peut-être,
car il m'a demandé aussitôt :

— Vivez-vous seule avec votre tante ?
Etes-vous orpheline ?

— Oui, hélas !

— Sans frère ni sœur ?

— Non, je n'ai que ma tante, monsieur.

Son beau regard s'éclaira de compatis-
sante sympathie.

— C'est bien peu. A-t-elle au moins de l'affection pour vous ?

— Cela, je ne le sais trop, monsieur, car elle ne laisse guère voir ses impressions.

La princesse étendit ses doigts frêles et les posa sur ma main.

— Il me semble cependant que tout le monde doit vous aimer... Frantz, je te remercie de m'avoir découvert une aussi charmante compagne. Elle me plaît déjà infiniment.

— Je n'en doutais pas, ma petite Hilda. C'est pourquoi j'ai résisté, l'autre jour, à la tentation de dire vertement son fait à cette tante un peu trop... bizarre. Je n'ai pas coutume d'être patient. Il fallait vraiment que je désire beaucoup vous voir près de ma sœur, mademoiselle, pour agir avec cette longanimité peu habituelle.

Il souriait, et son regard m'a paru singulièrement doux, à cet instant. Cependant, on le sent vif, ardent, autoritaire. Par moments, ses yeux ont un éclat de flamme, qu'il voile sous ses cils très longs.

Je répondis :

— Je vous remercie vivement, monsieur, et vous prie d'excuser l'attitude étrange de ma tante, sans que je puisse parvenir encore à en trouver la raison.

— J'excuse d'autant plus volontiers que

vous voilà quand même. Mais est-ce donc moi, personnellement, qui lui ai fait peur ? Ou bien avait-elle l'intention d'agir ainsi avec quiconque se présenterait pour répondre à votre annonce ?

Je rougis et dis avec embarras :

— Je l'ignore, monsieur, et ne puis vous répondre.

Un peu d'ironie passa dans son regard. J'eus l'intuition qu'il avait deviné le motif, vrai ou faux, donné par ma tante à son refus, et j'en éprouvai une forte gêne que je m'efforçai de dissimuler le mieux possible.

Une femme de chambre apporta le thé. Sur l'invitation de la princesse Hilda, je le servis. Je me sentais embarrassée d'abord, car j'ignorais tous les petits détails mondains ; mais enfin, je fis de mon mieux. Et comme je m'asseyais, une fois cet office terminé, Hilda me dit en souriant :

— Vous avez des mouvements d'une distinction, d'une grâce exquises. J'ai plaisir à vous regarder. Quelle délicieuse demoiselle d'honneur vous feriez !

Frantz se mit à rire et ses dents très blanches étincelèrent entre le rouge vif des lèvres fermement dessinées.

— Tu la préférerais à Mme Griehl, petite

sœur ? Je te comprends. C'est tellement naturel !

J'ai senti une confusion bizarre m'envahir. L'a-t-il vu sur ma physionomie ? En tout cas, il s'est mis à parler d'autre chose et nous a narré, avec une verve extraordinaire, une aventure baroque arrivée en province à un de ses amis qui venait de la principauté. Puis il s'est retiré pour faire une promenade dans le parc, avant le dîner.

Je n'ai pas vu aujourd'hui la princesse Charlotte. Elle est en excursion à Fontainebleau avec sa dame d'honneur. La princesse Hilda m'a appris que sa tante cultivait à la fois la poésie et la peinture.

— Elle est un peu originale, a-t-elle ajouté, mais elle nous aime tant, Frantz et moi !

En rentrant au logis, j'ai retrouvé le même mutisme que la veille chez Mme Herseng. Va-t-elle le maintenir longtemps ? Je suis toute triste ce soir. Il me semble que je suis seule, si seule...

Mais non, je ne le suis pas. Je vous ai, mon Dieu, vous qui êtes le Père des orphelins !

19 juillet

Après-midi paisible près de la princesse Hilda. A cinq heures, apparition de la princesse Charlotte et de sa dame d'honneur. Mme de Warf a joué une *Polonaise* de Chopin. Elle a un beau talent. Mais j'ai remarqué que ses lèvres sont peintes et ses yeux agrandis au crayon. Cette découverte augmente ma première impression d'antipathie. Je crois d'ailleurs que je ne lui plais guère non plus, car elle me regarde sans bienveillance.

Peu m'importe. La princesse Hilda est toujours charmante et sa tante Charlotte me semble décidément une bonne personne.

20 juillet

Le prince était là aujourd'hui, quand je suis arrivée. Il m'a dit :

— J'emmène ma sœur en automobile dans la forêt de Marly. Vous nous accompagnerez, mademoiselle.

Mme de Griehl n'était pas de la partie. Hilda lui avait donné sa liberté pour tout l'après-midi. Elle me confia :

— Mon frère a une véritable antipathie pour elle. Il la tolère seulement près de moi. Je la garde parce qu'elle n'a aucune fortune, son mari et son fils l'ayant ruinée.

J'ai cru comprendre qu'elle non plus n'a pas une sympathie très vive pour sa dame d'honneur et qu'elle ne la conserve que par charité.

Nous avons goûté, en cours de route, sur la terrasse d'un petit restaurant, ce qui amusa fort la princesse. Son teint se rosait, la mélancolie de ses yeux s'évanouissait et elle semblait vraiment aussi gaie que son frère et moi. Le prince Frantz la considérait d'un air heureux. Quand nous nous levâmes pour remonter en auto, il profita d'un moment où elle marchait devant nous pour me dire à mi-voix :

— Vous lui avez fait du bien. Merci, mademoiselle.

Je murmurai avec une surprise sincère :

— Oh ! monsieur, en si peu de temps ?

— Cela suffit, quand on est, comme vous, de celles qui répandent la joie, la clarté autour d'elles. Ma petite Hilda a subi cette influence bienfaisante.

Hilda se détourna à ce moment pour lui adresser une question. Heureusement, car le ton ému du prince et ses paroles me rendaient toute confuse... et joyeuse aussi. Ma gaieté, ma jeunesse bien portante, voilà tout ce que je possède, et je suis contente d'en faire profiter cette aimable jeune fille qui lutte pour reconquérir sa santé perdue.

Comme elle est frêle ! Je le remarque encore davantage près de son frère dont elle semble le pâle et chétif reflet. Il est superbement, virilement beau. Les traits n'ont pas la perfection classique, mais ils ont bien mieux que cela : un charme d'expression, de vie que je n'ai jamais rencontré encore. Je ne crois pas qu'il soit possible d'imaginer un homme plus séduisant. Il a tout pour lui : c'est le vrai Prince charmant.

Mais je n'ai pas l'esprit romanesque. Si peu expérimentée que je sois, je me doute que les petites bourgeoises comme moi doivent se défier des Princes charmants, surtout quand ils sont de véritables princes. Celui-ci est très aimable pour moi, mais très correct aussi, jusqu'ici. Ce n'est pas sa faute s'il a un sourire charmant et des yeux qui font rêver... qui feraient rêver si l'on n'y prenait garde.

27 juillet

Une semaine a passé. Je me suis rendue

chaque jour chez la princesse. Elle m'aime déjà, je le sens et je lui rends bien cette affection. Nos âmes se comprennent, nos goûts sont semblables. Sa santé s'améliore beaucoup et elle sort maintenant à pied, dans le parc, avec Mme de Griehl et moi. La princesse Charlotte et Mme de Warf se joignent parfois à nous. Mais deux fois, c'est le prince Frantz qui nous a accompagnées. Ces jours-là, Mme de Griehl s'est éclipsée. Elle doit savoir à quoi s'en tenir sur les sentiments du prince à son égard. Elle est trop flatteuse, trop rampante. Et puis, ce perpétuel sourire doucereux est horripilant. Mais c'est égal, il faut être lui pour se permettre d'écarter ainsi, avec tant de désinvolture, ceux qui lui déplaisent.

Il occupe maintenant l'appartement qu'il s'était réservé, près de celui de sa sœur. Tous les jours, il apparaît à l'heure du thé. La princesse Charlotte abandonne un instant ses recherches poétiques ou ses aquarelles, pour le regarder et l'écouter avec admiration. Mme de Warf est plus élégante que jamais. Ses yeux brillent quand le prince s'adresse à elle. Ils s'entretiennent de mondanités, de personnalités parisiennes. Il est vrai qu'elle a habité Paris pendant plusieurs années. Depuis, devenue veuve et sans fortune, elle a pu avoir ce poste de dame d'honneur.

Le prince est aimable pour elle, par moments. A d'autres, il paraît à peine s'apercevoir de sa présence. Ou bien il a des mots brefs, ironiques. Mme de Warf prend alors une mine humble, qui m'impatiente.

Le prince Frantz cause beaucoup avec moi. Nous parlons surtout de Versailles, du règne de Louis XIV. Il est très documenté là-dessus. Hier, sur sa demande, j'ai lu de nombreux passages de Racine. Il était assis en face de moi et regardait, par la fenêtre ouverte, les arbres du parc dont on apercevait les frondaisons épaisses. La princesse m'a dit :

— Comme vous lisez bien !

Il a appuyé :

— Admirablement.

Et il m'a regardée avec son merveilleux sourire qui semble éclairer jusqu'au fond des yeux.

Toujours le même mutisme chez ma tante. La vue de ce visage fermé, de ces yeux froids qui se détournent de moi m'est infiniment pénible. Il faut que je recoure à mes sentiments chrétiens, que je me répète : « Je lui dois quand même de la reconnaissance », pour réprimer l'antipathie, l'éloignement qui augmentent en moi.

2 *août*

Je suis revenue aujourd'hui dans l'auto du prince. Comme je quittais l'hôtel, il rentrait. En me voyant, il m'a saluée et m'a dit :

— Montez donc, je vais vous ramener chez vous en un instant.

— Oh ! monsieur, c'est vraiment inutile...

— Mais si, mais si. D'ailleurs, l'orage menace...

Je n'ai pas osé refuser. Je suis montée dans l'automobile, qui m'a amenée en quelques minutes au logis. C'est une des voitures particulières du prince. Une senteur délicate, mêlée au parfum d'un tabac très fin, flotte à l'intérieur, aménagé avec un luxe sobre et un goût très sûr. De vagues désirs de bien-être, de grande vie, d'élégances raffinées, m'ont traversé l'esprit. Déjà, je les ai éprouvés dans ce cadre d'existence opulente où je me trouve chaque jour, pendant quelques heures. La médiocrité du logis de ma tante, le manque de goût qui a présidé à son arrangement intérieur me frappent davantage. Je ne suis pas envieuse, cependant. Mais j'ai plaisir à me trouver au milieu de ce luxe, tout en songeant qu'avec ma petite robe de flanelle, qui jaunit, je dois y faire triste figure. C'est cependant ce que j'ai de mieux. Impossible de la remplacer pour le moment. L'élégant prince de Drosen doit me trouver bien minable...

Allons, vaniteuse, que t'importe tout cela ! Tu es vêtue selon ta position et c'est le plus raisonnable. Quant à l'effet amollissant que produit sur toi ce milieu trop luxueux, trop raffiné, combats-le par la prière, par de fortes réflexions sur l'inanité de toutes ces satisfactions humaines.

5 août

Je rentre des Réservoirs où j'ai passé la nuit. Voici pourquoi : hier, en arrivant à l'heure habituelle, je trouvai tout en désarroi dans l'appartement de la princesse Hilda. Elle venait d'avoir une syncope. Or, son médecin se trouvait précisément à Paris, le prince Frantz aussi, et la princesse Charlotte se promenait avec sa dame d'honneur, car rien, une heure plus tôt, ne faisait prévoir cet accident. Mme de Griehl bourdon-

nait comme une grosse mouche inutile.
Miss Hobson, les femmes de chambre s'affo-
laient. Bien que fort effrayée à la vue de la
princesse inanimée, je réussis à conserver
mon sang-froid. Tandis que, sur mes indications, miss Hobson envoyait un domestique
chez le plus proche médecin, j'essayai à mon
tour de faire revenir à elle la princesse, et j'y
étais parvenue lorsque apparut le médecin.
Il fit aussitôt mettre au lit la malade. Elle
était toute blanche, avec un large cerne autour des yeux. Ses lèvres pâles me sourirent
faiblement et elle me prit la main en disant :
— Ne me quittez pas.
Je demeurai près d'elle, silencieuse, car le
docteur avait recommandé le repos complet.
Miss Hobson, à l'autre bout de la pièce, travaillait à une broderie. Mme de Griehl, un
peu plus loin, restait inactive, en somnolant,
je crois. Puis la princesse Charlotte arriva. Et
ensuite le docteur Vernet, précédant de peu
de temps le prince Frantz.
Lorsque celui-ci entra, Mme de Griehl et
miss Hobson disparurent. Je voulus les imi-
ter. Mais la princesse s'y opposa :
— Non, restez, Odile.
Elle m'appelait ainsi pour la première fois.
Le prince ajouta :
— Oui, je vous en prie, mademoiselle.

— Me permettez-vous de vous faire remarquer qu'il est très tard et que ma tante...

La princesse m'interrompit d'un geste :

— Restez encore, Odile ! Restez cette nuit. Votre présence me fait du bien. Il y a tant de vie, tant de lumière dans vos yeux ! On vous dressera un lit ici, et si je ne dors pas, si j'ai de ces vilains rêves qui me fatiguent, vous me parlerez, vous ferez fuir tous ces fantômes...

Le prince dit doucement, en lui caressant les cheveux :

— Mais, ma chérie, Mlle Herseng est attendue chez elle.

— Elle écrira un mot à sa tante. Dites, vous voulez bien, Odile ?

Un geste discret du médecin, debout un peu à l'écart, un regard du prince me dictèrent ma réponse. Je ne pouvais refuser. J'écrivis donc pour ma tante un petit mot qu'emporta un domestique, avec ordre de rapporter quelques objets qui m'étaient nécessaires. Puis, ôtant mon chapeau, je m'installai au chevet de la malade, près de la princesse Charlotte. Le prince, après avoir changé de tenue, nous y rejoignit bientôt. Pour ne pas fatiguer la princesse Hilda, nous ne parlions pas. Lui lisait, sa tante et moi travaillions. La princesse, de temps à autre,

nous regardait avec un faible sourire. Alors
son frère se penchait, baisait son front ou
l'une de ses petites mains, en lui disant un
mot très tendre. Il paraît vraiment avoir
beaucoup de cœur, et je comprends l'affection profonde de sa tante et de sa sœur à
son égard.

Mais combien elle est attachante, cette petite princesse ! Pendant que le prince Frantz
et la princesse Charlotte dînaient, on me ser-
vit sur une petite table, près de son lit. A un
moment, elle posa sa main sur mes cheveux
en disant :

— Je vous aime bien, Odile. Et je sens que
vous m'aimez aussi, pour moi, et non pas
pour ma fortune et mon rang, pour les avantages que vous pouvez trouver près de moi.
Si jeune que je sois, je devine que ce doit être
très rare, les affections désintéressées.

Je répondis avec élan :
— C'est bien ainsi que je vous aime !
Alors, elle me dit :
— Embrassez-moi.

Et je baisai son front moite, avec l'impression que je scellais ainsi une amitié véritable.

Le prince et sa tante revinrent pour terminer la soirée près de la malade. Le docteur Vernet vint faire sa visite et constata un
mieux notable. Cette syncope n'avait été

qu'un accident qui n'aurait pas de suites sérieuses. Sur son conseil, on laissa la princesse
reposer, et je restai seule près d'elle. Le
sommeil fut long à venir pour moi. Cette
grande pièce, la veilleuse électrique, maints
détails élégants, autour de moi, me chan-
geaient trop de mon étroite petite chambre
obscure et très modestement meublée. Le
parfum favori du prince — ce parfum discret et suave que j'ai respiré avant-hier dans
l'auto — semblait être resté dans la pièce, et
je le sentais toujours, de quelque côté que je
me retournasse. Je crois que c'était lui qui
m'empêchait de dormir. A moins que ce ne
soit la magnifique peau d'ours blanc étendue
devant la chaise longue. Sa tête féroce était
tournée vers moi et les yeux me regardaient
fixement... Cette bête formidable a été tuée
par le prince, au cours d'un voyage
au Spitzberg. Dans la terrible rencontre, il
faillit succomber et fut grièvement blessé au
bras. Il a offert cette fourrure à sa sœur, qui
l'emporte toujours dans ses déplacements et,
m'a-t-elle dit, ne manque pas, en la regardant, de remercier Dieu bien souvent d'avoir
permis que fût sauvé ce frère chéri.

Ce matin, j'ai quitté la princesse à
neuf heures. Le prince Frantz était là. Il m'a
chaleureusement remerciée et m'a baisé la

main. J'ai rougi beaucoup, comme une sotte.
Car je sais bien que c'est là un acte courant
de courtoisie dans certains pays... Je suis
inexpérimentée sur tous ces points-là. Il m'a
paru que la princesse Hilda ne semblait pas
surprise. Elle a souri en disant :

— Oh ! comme tu as raison de la remercier, Frantz ! Sa présence m'a été si douce !

J'ai fait sans presque m'en apercevoir le
trajet entre la rue des Réservoirs et la rue
Saint-Louis. Ma pensée était restée là-bas,
dans la chambre de la malade. Et je gardais
encore sur mes doigts la sensation de chaleur
légère produite par le baiser discret qui les
avait effleurés. Je revoyais la douceur
des yeux noirs qui s'étaient attachés sur moi,
tandis que le prince prenait ma main et l'élevait jusqu'à ses lèvres. Ah ! que je suis sotte
et impressionnable ! Il y a en moi je ne sais
quoi — un trouble, une crainte — qui me
fait désirer que ces étrangers partent le plus
tôt possible. Et cependant, j'aurais tant de
peine de les quitter !

En rentrant, j'allai trouver ma tante dans
sa chambre, pour lui expliquer de vive voix
ce qui s'était passé la veille. Je croyais me
heurter au même obstiné mutisme. Mais elle
m'accueillit par ces mots :

— Ah ! c'est vous ? Je pensais que votre

princesse, pendant qu'elle y était, vous aurait gardée tout à fait.

— Mais non, ma tante, comme vous voyez. Elle va mieux ce matin, et je n'ai pas voulu m'attarder davantage pour rentrer.

— C'est assez aimable à vous. Car les beaux yeux du prince de Drosen doivent vous paraître plus agréables à considérer que ma vieille figure.

Je sentis que mes joues s'empourpraient. Très vivement, je ripostai :

— J'apprécie surtout la sympathie, la très grande bienveillance que je trouve chez la princesse et le prince de Drosen. Voilà ce qui m'est plus doux que tout.

Elle eut un ricanement.

— Oui, le prince a beaucoup de sympathie pour vous, naturellement. Et il vous l'a dit ?

Son air, son accent de sournoise moquerie m'exaspérèrent.

— Non, ma tante, il ne m'a rien dit, et il ne me dira rien. De cela, vous pouvez en être certaine. Mais c'est très mal à vous de me parler comme vous le faites.

Là-dessus, je sortis. En refermant la porte, je l'entendis ricaner encore.

Que je suis triste et malheureuse ! Je ne

sais plus que faire... Ma tante a peut-être
raison... Mais comme elle est mauvaise !

... Je suis retournée cet après-midi chez la
princesse, ainsi qu'elle me l'avait demandé.
Le prince n'a pas paru. Il était à Paris, pour
voir un cousin, qui s'y trouve de passage.
Ma petite princesse s'est montrée bien tendre, bien bonne. Elle m'interrogea sur la
façon dont ma tante m'avait reçue. Sans lui
répéter les paroles, je laissai voir l'impression
pénible que m'avait laissée cet accueil. Elle
me regarda pensivement et se pencha pour
me prendre la main.

— Quand nous partirons, Odile, venez avec
nous.

J'eus un vif mouvement de surprise.

— Avec vous ?

— Oui. J'aurais tant de peine de vous
quitter ! Hier, je l'ai dit à mon frère. Il m'a
répondu : « Demande à Mlle Herseng de nous
suivre dans notre principauté. Elle aura
près de toi une situation fixe, que nous ren-
drons aussi avantageuse que possible. » Mon
cher Frantz ! Il ne pense qu'à me faire plaisir... Que dites-vous de mon offre, Odile ?

— Mais... mais je ne suis pas libre. Ma
tante...

— Oui, je le sais bien, voilà le grand

obstacle. Mais elle consentira peut-être, si vous savez faire valoir les avantages de cette position. Enfin, essayez toujours, n'est-ce pas ?... du moins si vous avez personnellement envie d'accepter ?

— Ce serait une joie que je n'aurais jamais osé espérer !

Voilà le premier mouvement. Et l'autre, presque aussitôt, me fit regretter ce cri du cœur. Ce matin même, n'avais-je pas désiré que le prince de Drosen et sa suite s'éloignassent bientôt ? Quel est donc ce conflit de sentiments ? Et comment m'y reconnaître ? Comment savoir où est mon devoir ?

Je ferai part à ma tante de la demande de la princesse. Mais j'attendrai à demain. Elle m'a trop péniblement froissée ce matin.

6 août

La princesse est presque remise aujourd'hui. Sa tante était près d'elle quand je suis arrivée. Mme de Warf nous a fait de la musique. Puis j'ai regardé les princesses et leurs dames d'honneur jouer au bridge, la princesse Hilda désirant que j'apprenne ce jeu. Nous avons pris le thé. A mon heure habi-

tuelle, je me suis préparée à partir. Une automobile m'attendait, la princesse tenant
absolument à ce que je ne retourne pas à
pied. Je devais être accompagnée de Mme de
Warf, qui avait une course à faire pour la
princesse Charlotte. Nous descendîmes toutes
deux. Au bas de l'escalier, je vis Mme de Warf,
qui me précédait, se ranger avec une révérence. Le prince Frantz rentrait suivi de son
aide de camp, M. de Brandel, ce jeune homme
blond que j'ai rencontré naguère avec lui. Il
s'arrêta devant moi et me demanda comment
j'avais trouvé sa sœur.

— Beaucoup mieux, vraiment, monsieur.

— N'est-ce pas ? Le docteur Vernet ne
se montre pas du tout inquiet... La princesse vous a fait part hier de son vif désir
de vous emmener avec nous, mademoiselle ?
Je suis très heureux de m'y associer, et j'espère que vous voudrez bien en parler le plus
tôt possible à madame votre tante.

— Je suis à peu près certaine d'un refus,
monsieur.

— Mais non, je ne crois pas. Elle finira
pas comprendre que c'est votre intérêt. Et
nous tenons absolument à vous emmener.
Ma petite Hilda serait dans la désolation.
Oui, il le faut... quand je devrais pour cela
vous faire enlever, ajouta-t-il en riant.

Il s'éloigna sur ces mots et je suivis au-dehors Mme de Warf. Tandis que l'auto démarrait, la dame d'honneur dit avec ce sourire ambigu que j'ai remarqué plusieurs fois chez elle :

— Nous aurons certainement le plaisir de vous voir partir avec nous. Le prince est accoutumé à n'essuyer jamais de refus.

— J'ai une tante qui ne regardera pas, je le crains, à lui en opposer un.

— Eh bien ! il s'y prendra autrement. Vous l'avez entendu ? Les grands moyens ne lui font pas peur, et il ira jusqu'au bout de sa volonté.

Elle plaisantait certainement. Mais je ne sais quoi dans son air, dans son regard, m'était infiniment désagréable. Heureusement, le trajet était court. Je vis avec satisfaction la voiture s'arrêter devant la maison. Mme de Warf dit, en jetant sur elle un rapide coup d'œil :

— C'est ici ?

Et je crus discerner du dédain sur sa physionomie. Elle ajouta aussitôt, en souriant et en serrant la main que je lui tendais sans empressement :

— Le château de Wenseid vous changera un peu.

Je ripostai :

— En admettant que j'y aille jamais, ce qui est très problématique.

Ma tante se tenait à la porte de la salle à manger quand j'entrai dans le vestibule. Elle me demanda :

— On vous a ramenée en voiture ?

— Oui, ma tante. La princesse l'a voulu absolument.

Elle me paraissait avoir l'air moins fermé, ce soir. J'ai pensé que ce serait peut-être le moment de lui faire part de l'offre qui m'a été faite. A ma grande surprise, elle a répondu :

— C'est à voir. Je ne vous laisserai pas partir volontiers, si jeune, pour ce milieu de cour. Mais enfin, la situation serait assez belle pour qu'on y réfléchisse sérieusement... Montez vous déshabiller, mais ne vous pressez pas. Nous ne dînerons pas avant une demi-heure, car Berthe est en retard, ce soir, par extraordinaire.

J'ai gagné ma chambre et, en attendant le dîner, j'ai écrit ces lignes... Je suis extrêmement étonnée de la réponse de ma tante. Elle est décidément bien singulière !

Voilà la demie de sept heures qui sonne. Il est temps que je descende... C'est la première fois que Berthe ne sert pas à l'heure...

10 août

Il faut que je note tout de l'affolante aventure qui m'est arrivée, aventure mystérieuse, que rien n'est venu éclairer encore.

J'avais dîné avec ma tante, et ensuite, dans sa chambre, comme chaque soir, je lui avais fait la lecture du journal. Elle me demanda, après cela, de lui lire quelques pages d'un gros volume sur les guerres du premier Empire. Je n'avais jamais remarqué que les questions historiques l'intéressassent beaucoup, jusqu'alors. Mais je lus sans observation et les quelques pages se transformèrent en chapitres, de telle sorte que onze heures sonnaient lorsqu'elle me dit enfin :

— Allez maintenant vous coucher, Odile.

Je lui souhaitai le bonsoir, en penchant le front pour qu'elle y mît, comme chaque soir, un baiser sec. Cette fois, ses lèvres m'effleurèrent à peine. Elle répéta : « Bonsoir » et je sortis.

L'escalier n'était pas éclairé. On faisait beaucoup d'économies, chez nous. A tâtons, j'atteignis le second étage et ouvris la porte de ma chambre. Je me sentis saisie brusquement à bras le corps, une large étoffe tomba sur mon visage, m'étouffant et m'aveuglant.

Avant que j'eusse pu me débattre, mes bras et mes jambes étaient liés. Puis on me prit par les pieds et la tête, on me descendit ainsi, sans bruit. Je sentis un instant l'air frais de la nuit sur mon visage à travers l'étoffe, enfin je fus déposée sur un siège, et j'eus l'impression que quelqu'un s'asseyait près de moi. Un bruit de moteur mis en marche parvint assourdi à mes oreilles... J'étais dans une automobile, qui démarrait doucement, puis filait, presque en silence...

De tout cela, je me rendais compte vaguement, comme en un rêve. Etourdie par la brutale agression, suffoquant sous cette étoffe, dans l'impossibilité de faire un mouvement, je demeurais presque sans pensée. L'automobile marchait toujours, avec ce mouvement doux, glissant, que je connaissais bien pour en avoir apprécié tout l'agrément dans la voiture de la princesse et dans celle du prince de Drosen...

Et voilà qu'à travers le chaos de mes pensées, une phrase surgit : « Quand je devrais pour cela vous faire enlever... »

Qui donc avait dit cela ? Je cherchais péniblement. Les idées me fuyaient...

Ah ! oui, c'était le prince Frantz, tout récemment. Ses yeux riaient... Il plaisantait, naturellement. Je savais bien que cela se faisait, quel-

quefois. Mais lui ne pouvait être capable de
pareille chose... Et puis, il ne savait pas encore
quelle serait la réponse de ma tante...

J'étouffais de plus en plus. Un gémisse-
ment m'échappa. Alors, je sentis qu'une
main écartait légèrement l'étoffe. Je respi-
rai mieux, mes idées s'éclaircirent. Mais, en
même temps, tout le côté tragique de ma
situation, toute l'horreur de ce mystère se
précisèrent...

Un choc, tout à coup... Une rauque exclamation, dans une langue étrangère... Il me
sembla que j'étais basculée... Puis je sentis
une douleur atroce et je perdis la notion de
tout...

En revenant à moi, je me trouvai dans
une chambre éclairée par une grosse lampe
à pétrole posée près du lit sur lequel j'étais
étendue. Un visage d'homme à longue barbe
noire se penchait vers moi. Un peu plus loin
se tenait une jeune femme en claire robe
d'intérieur.

— Allons, ça y est ! dit l'homme barbu.

La jeune femme s'exclama :

— Ah ! enfin !

Je voulus remuer. Alors, je m'aperçus que
mon bras gauche était immobilisé.

Je murmurai :

— Qu'ai-je donc ? Où suis-je ?

— Chez d'excellentes gens, tout heureux de vous rendre service. Ce que vous avez ? Un bras cassé, quelques petites écorchures par-ci par-là. Le bras, je vous l'ai arrangé comme il fallait pendant votre évanouissement, et il se remettra très bien, je vous l'affirme. Ma foi, vous l'avez échappé belle, ma pauvre enfant !

La mémoire me revenait peu à peu... L'agression... l'automobile... le choc... Je demandai :

— Qu'est-il arrivé ?

— L'automobile où vous vous trouviez a été se jeter contre un arbre... Il y a eu du dégât... Hum !...

Là-dessus, il me regarda d'un air perplexe.

— ... Vous avez eu de la chance. Le chauffeur et l'homme qui était dans la voiture avec vous...

Je fis un mouvement et demandai en haletant :

— L'homme ? Qui est-ce ?

— Je n'en sais rien. Il n'avait pas de papiers. Vous ignorez aussi ?...

— J'ai été saisie en entrant dans ma chambre, liée, emportée dans cette voiture...

La jeune femme, qui s'était rapprochée et

me regardait avec une sympathique curiosité, s'écria vivement :

— Là, vous voyez, docteur, c'était bien ce
que nous pensions !

— Parbleu, c'était facile à deviner, avec
cette étoffe autour du visage et les liens des
bras et des jambes... Un crime, un enlève-
vement... Eh bien ! mon enfant, ceux qui ont
fait cela l'ont payé cher. Et ils ne viendront
plus vous tourmenter.

Je balbutiai :

— Ils... sont morts ?

— Le chauffeur, oui. L'autre a une frac-
ture du crâne et je juge son état désespéré.
C'est un homme très grand, très fort, roux
de barbe et de cheveux, vêtu assez simplement... Vous ne voyez pas qui il peut être ?

— Non, je ne vois pas du tout.

La jeune femme, qui avait un aimable et
bon visage, me prit la main en demandant :

— Où demeurez-vous ?

Je donnai mon adresse, ajoutant que j'ha-
bitais là avec ma tante.

— Elle était dans la maison, quand on
vous a enlevée ? demanda le docteur.

— Mais oui, je venais de la quitter dans
sa chambre, quand cela s'est produit...

Et après avoir prononcé ces mots, je songeai : « Comme c'est singulier qu'elle n'ait

rien entendu, ni Berthe qui était couchée
dans un petit cabinet près de sa chambre !
Et comment ont-ils pu s'introduire ainsi, au
second étage, sans que nous nous doutions de
rien, dans une si petite maison ? »

Le médecin déclara :

— Il faut la prévenir. En ne vous voyant
pas au matin, elle serait terriblement inquiète.
Je vais envoyer mon chauffeur à Versailles.

— Mais où suis-je, ici ? demandai-je.

— A Chaville, dans la villa de M. et
Mme Maurel, tout près de l'endroit où a eu
lieu l'accident. Vos ravisseurs n'avaient pas
eu, heureusement, le temps de faire beaucoup
de chemin... Maintenant, vous allez me laisser vous examiner encore, pour bien m'assurer que vous n'avez pas d'autres blessures.
Puis vous tâcherez de dormir, après avoir pris
ce bon cordial que vous a préparé Mme Maurel.

Dormir ! Comment l'aurais-je pu après ces
terribles secousses ? Comment faire taire la
question angoissante qui me martelait le cerveau : « Qui est-ce ?... qui est-ce ?... »

D'ailleurs, la fièvre arrivait, et je souffrais
de mon bras, de multiples contusions.
Mme Maurel me donna de la quinine. Elle
voulait demeurer près de moi ; mais sur mes
protestations, elle consentit à se retirer dans

sa chambre, en laissant la porte entrouverte.

J'entendis sonner toutes les heures. Vers quatre heures seulement, je m'assoupis. Au réveil, je me trouvai mieux. Le docteur venait d'arriver et, après examen, déclara que tout allait aussi bien que possible.

— Vous pourrez regagner Versailles aujourd'hui, si vous le voulez... Mais dites-moi, mon enfant, votre tante est-elle sourde ?

— Pas le moins du monde !

— C'est que mon chauffeur, arrivé là-bas vers quatre heures, a vainement sonné, frappé, appelé. Personne n'a ouvert.

— Ma tante a cependant le sommeil très léger et sa servante aussi. En outre, sa chambre est sur la rue. Je ne comprends pas du tout...

— Moi non plus...

Une idée terrible me traversa l'esprit.

— Mais... mais ne l'aurait-on pas attaquée aussi... assassinée ?

— Hum !... Ne vous mettez pas par avance martel en tête, mon enfant. A huit heures, j'ai renvoyé Germain là-bas. Il en est neuf. Nous ne tarderons pas à être fixés, d'autant plus que je lui ai dit de s'adresser à la police, au cas où on ne lui ouvrirait pas encore.

Mme Maurel, prêtant l'oreille, annonça :

— Je crois que voici une auto qui s'arrête.

Le docteur sortit et j'attendis, tremblante d'angoisse. Il reparut bientôt, en s'exclamant :

— C'est à n'y rien comprendre ! La maison restant obstinément close, Germain a prévenu la police, qui a ouvert. A l'intérieur, personne et aucune trace de lutte. Mais les armoires vidées, des malles dérangées au grenier... Enfin, pas d'apparence de crime, en tout cas. On dirait, prétend Germain, un départ bien organisé, ne laissant derrière lui aucun désordre...

Je l'écoutais avec stupéfaction. Un départ ?... quel départ ? celui de ma tante ? Voyons, que me racontait-on là ?

— Vous n'avez rien remarqué d'anormal, hier ? demanda le docteur.

— Non, vraiment... non.

Je cherchais... Tout s'était passé comme de coutume... Il y avait bien cette lecture plus longue... et le dîner en retard... Puis encore, au lieu de la robe de chambre qu'elle met à l'intérieur, ma tante avait gardé sa robe de sortie... Voilà toutes les remarques que j'avais pu faire.

Le docteur murmurait :

— Voilà une affaire qui paraît étrange. Je vous préviens, mon enfant, que la police va venir vous interroger...

— La police ! dis-je avec effroi.

— Il le faut bien. Elle va faire une enquête sur l'agression dont vous avez été victime... et probablement aussi sur la disparition de votre tante, si elle ne s'explique pas... Mais que ferez-vous, mademoiselle ? Vous ne pouvez rentrer dans cette maison déserte. Avez-vous des amis ?

Des amis ?... Dans mon cerveau en désarroi, deux noms seulement surgirent : la princesse Hilda, le prince Frantz. L'idée folle de la veille avait fui complètement. Et c'était vers lui, vers sa sœur que j'avais hâte de me réfugier, pour implorer leur protection contre mes ennemis inconnus et leur aide pour éclaircir ce mystère de la disparition de ma tante.

— Des amis ? Oui, j'en ai. Ils habitent l'hôtel des Réservoirs...

Il fut convenu que, dans l'après-midi, Mme Maurel m'accompagnerait à Versailles. Jusque-là, je devais rester au lit pour éviter le retour de la fièvre.

Je m'informai de l'homme blessé.

— Il est dans le coma. Un moment, il a eu comme une vague lueur de connaissance et a prononcé quelques mots dans une langue étrangère — de l'allemand, pense l'infirmière.

Je murmurai :

— De l'allemand !

Encore une idée, très fugitive cette fois...

Et puis aussitôt, je pense à une réflexion faite
par le prince Frantz, la première fois où je l'ai
rencontré près de sa sœur. Il a dit, en parlant
de ma tante, qu'elle ne lui paraissait pas
avoir l'accent alsacien, mais plutôt un accent
allemand, celui de la principauté de Drosen...
Et pourquoi ne voulait-elle pas que j'apprenne l'allemand ? Pourquoi se refusait-elle
à me laisser aller chez la princesse ? Pourquoi encore avait-elle l'air, hier soir, d'être
presque décidée à me laisser partir ?... Pourquoi ?... pourquoi tant d'autres choses, de
menus faits qui m'ont paru insignifiants sur
l'heure et qui me reviennent maintenant à
l'esprit, avec une signification toute particulière ?

J'arrivai vers une heure à Versailles, dans
un état d'agitation intérieure qui augmentait
ma fièvre. En quittant la voiture qui nous
avait amenées, je remerciai avec émotion
Mme Maurel et lui promis d'aller la voir pour
faire la connaissance de son mari et de ses enfants. Puis je pris l'ascenseur, car mes jambes
étaient si faibles que je les sentais fléchir sous
moi.

Je demandai au valet de pied de prévenir
miss Hobson que je désirais lui parler. En
entrant dans le salon où je m'étais assise,

l'Anglaise jeta un cri, devant mon visage blêmi et mon bras immobilisé.

— Mais qu'avez-vous ? Qu'avez-vous ?

— Il m'est arrivé un accident, chère miss Hobson... Voulez-vous demander à la princesse Hilda si elle peut me recevoir ?

— Pas maintenant, miss Odile. Son frère est près d'elle et lui fait la lecture. Je n'oserais le déranger... Il est très sévère pour cela.

— J'attendrai, en ce cas.

— Oui, c'est cela. Voulez-vous prendre quelque chose ?

— Non, je n'ai besoin de rien, merci, miss Hobson... de rien, si ce n'est de repos.

— Vous avez la fièvre, cela se voit. Restez bien tranquille. Ce sera bientôt l'heure où vous venez chaque jour. Alors, vous pourrez entrer.

Elle s'assit près de moi et essaya de me parler. Mais je ne lui répondais que par monosyllabes. J'étais vraiment brisée, au moral et au physique. J'avais hâte de voir le doux visage de la princesse Hilda, hâte de lui raconter tout.

Enfin, le timbre électrique résonna. Miss Hobson entra dans le salon voisin. Deux minutes plus tard, la porte se rouvrit, la princesse s'élança vers moi... En même temps,

dans la pièce voisine, la voix du prince Frantz
s'élevait, impatiente et irritée :

— En vérité, miss Hobson, je vous croyais
plus intelligente ! C'est ridicule, ce que vous
avez fait là !

Il entra à son tour. Quelle sympathie vibrante dans le regard que je rencontrai !

— Eh bien ! mademoiselle, que vous est-
il donc arrivé ?

La princesse, en me saisissant la main,
s'écria :

— Oh ! ma pauvre Odile ! Ma pauvre
Odile ! Racontez-nous vite cela !

Alors, je leur fis le récit de mon incroyable
aventure. La princesse s'exclamait fréquemment, en me serrant la main. Son frère
m'écoutait en silence. Mais quel intérêt profond je lisais dans ses yeux ! Quand j'eus terminé, il me demanda de lui faire connaître
tous les indices que j'avais pu remarquer.
Puis il s'informa si Mme Herseng recevait
souvent des lettres.

— Non, monsieur, pas à ma connaissance.
Une fois seulement, entrant à l'improviste
dans sa chambre, j'ai vu la servante qui revenait du marché lui en remettre une sur laquelle il m'a semblé apercevoir un timbre
étranger.

— Voilà une affaire bien extraordinaire !...

Mais nous en reparlerons plus tard. Pour le moment, il faut vous soigner, mademoiselle. Il est visible que vous avez une forte fièvre.

— Souffrez-vous beaucoup, chère Odile ? demanda affectueusement la princesse.

— Oui, pas mal, mademoiselle.

Le prince dit, avec un geste d'impatience :

— Cette stupide Hobson vous a fait attendre là au lieu de venir nous prévenir immédiatement !

— Elle n'osait pas vous déranger et, vraiment, moi-même, je n'aurais pas voulu...

Il eut un fugitif sourire d'ironie douce en m'interrompant :

— Oh ! j'admets quelques dérogations à l'étiquette, en certains cas. Mais miss Hobson n'a pas le flair... Eh bien ! Hilda, donne l'ordre de préparer une chambre pour Mlle Herseng et fais appeler Vernet. De mon côté, je vais tâcher d'activer l'enquête de la police.

Et comme je voulais le remercier, m'excuser d'être venue ainsi, il m'interrompit encore :

— Ce que je fais est très naturel, mademoiselle. Et vous avez eu raison de venir à nous comme à des amis, car nous saurons vous prouver que nous le sommes vraiment.

J'ai senti qu'il était sincère. Son regard

avait cette expression loyale et ferme que j'aime tant chez lui et que je n'ai jamais aussi bien remarquée que ce jour-là. Il n'a pas prononcé des paroles en l'air. Ici, j'en suis sûre, je serai vraiment défendue, s'il en est besoin.

Quant à la princesse Hilda, elle a été délicieuse d'affection et de sollicitude pour moi, depuis huit jours que je vis près d'elle. Le docteur Vernet m'ayant conseillé de rester au lit pendant quarante-huit heures, pour éviter tout retour de fièvre, elle est venue chaque jour passer de longs moments près de moi. Sur le conseil du docteur, elle essayait de ne pas me parler de mon aventure. Mais j'y revenais sans cesse. C'était — et c'est encore — ma pensée du jour et de la nuit.

L'obscurité la plus complète enveloppe toujours cette affaire. Ma tante et Berthe demeurent introuvables. L'homme roux est mort, et ni sur lui ni sur le chauffeur on n'a trouvé d'indication quelconque. L'auto était d'une marque étrangère et ne portait pas de numéro. La servante d'un des voisins dit en avoir remarqué deux stationnant successivement pendant quelques minutes devant notre logis. Quant à d'autres indices, impossible d'en découvrir. Argent, papiers, tout a disparu, ainsi que les vêtements de ma tante et de Berthe.

Le prince, quand je le revis l'autre jour au salon, m'a déclaré :

— Il me paraît hors de doute que Mme Herseng était de connivence avec vos ravisseurs.

Hélas ! moi aussi je n'en doutais plus maintenant ! Mais quelle chose épouvantable ! Et pourquoi ?

Le prince ajouta :

— Figurez-vous que j'en suis à me demander si elle est vraiment votre tante.

— J'ai eu, moi aussi, cette même idée, monsieur.

— Ne pensez-vous pas qu'il serait bon de faire en Alsace une enquête sur votre famille ? Peut-être trouverions-nous de ce côté quelques indications utiles.

— Cela me paraît très nécessaire, en effet. Maintenant, tout ce que m'a dit Mme Herseng ne me semble plus que mensonge. Quelque nouvelle tristesse que puisse m'apporter encore la vérité, je préfère la connaître.

Pendant que le prince Frantz fait effectuer ces recherches, je me prépare pour partir avec la princesse. Car, plus que jamais maintenant, elle veut m'emmener. Et je n'ai plus l'idée de dire non. Seule, abandonnée par mon unique parente, laissée là sans argent, comme une pauvresse, où irais-je, que ferais-je ? La princesse Hilda m'aime tendrement, la princesse Charlotte me témoigne beaucoup de sympathie, et le prince est si bon pour moi, si délicatement bon !

18 août

Je n'ai pas les toilettes nécessaires à ma nouvelle situation. Hier, la princesse Hilda, dont la santé s'améliore vraiment, m'a emmenée à Paris pour les choisir. Elle m'a remis en outre, d'avance, une partie de mes émoluments annuels. Ils sont magnifiques, pour une simple lectrice. Je pense que ma petite princesse me gâte. Mais je n'ai pas osé protester et je l'ai remerciée avec émotion.

19 août

Cet après-midi, le prince Frantz nous a emmenées en auto à Trianon. Il était très gai, de cette gaieté jeune, vibrante, si différente de celle, mordante et ironique, que j'ai remarquée parfois chez lui, particulièrement quand il s'adresse à Mme de Warf. J'ai presque oublié pendant quelques heures ma triste situation, l'angoisse de ce mystère... Et puis, au retour, la réalité m'a reprise. J'essaye d'être courageuse, je prie beaucoup et j'attends des nouvelles d'Alsace.

22 août

Nous partons dans huit jours. La princesse Hilda m'a beaucoup parlé hier de la principauté de Drosen. Le prince régnant, son oncle, est veuf. Il aime tendrement ses neveux, mais tout particulièrement son héritier, le prince Frantz.

— Vous pensez bien que je n'en suis pas jalouse ! ajouta-t-elle. D'ailleurs, mon frère est un irrésistible charmeur. Ses futurs sujets l'adorent et vous verrez la réception qu'ils vont lui faire.

24 août

Je déjeune avec les dames d'honneur, le docteur Vernet et l'aide de camp. Celui-ci est un homme affable et intelligent, de physionomie sympathique. Je suis contente que le docteur et lui soient là, car la tante et la nièce ne me plaisent guère. Je crois que le sentiment est réciproque, en dépit de l'amabilité qu'elles me témoignent depuis que mon départ est décidé.

Pour une personne sans fortune, Mme de Warf me paraît faire beaucoup de dépenses pour sa toilette. Miss Hobson, qui ne l'aime pas non plus, m'a dit l'autre jour, je ne sais plus à quel propos :

— Elle a déjà des dettes dans plusieurs maisons de Paris et de Berlin, paraît-il. Un de ces jours, cela fera du bruit, quand les créanciers en auront assez d'attendre. Et la princesse Charlotte, qui s'est entichée d'elle, sera bien obligée de s'en séparer. Tant mieux, car c'est une coquette et une créature très fausse.

Nous dînons avec le prince et les princesses. Il paraît que c'est un honneur extraordinaire pour une simple lectrice. Mme de Griehl me l'a fait comprendre. M. de Brandel ajouta :

— Le prince est extrêmement strict pour les questions d'étiquette qu'il appelle le rempart de la dignité princière. Voilà pourquoi vous nous voyez un peu étonnés, mademoiselle. Un peu seulement, car nous savons d'autre part qu'il cède très souvent aux désirs de sa sœur.

Mme de Warf, s'interrompant de boire son café, murmura avec son indéfinissable sourire :

— Oui, surtout lorsqu'ils sont conformes aux siens.

Comme cette femme a le regard faux ! Miss Hobson a bien raison. Mais elle est brillante, elle parle avec un certain agrément, très superficiel, qui plaît à la princesse Charlotte. Celle-ci fait grand cas de sa dame d'honneur. Tout à l'heure, je servais le thé — Mme de Griehl et sa nièce sont aujourd'hui à Paris, les princesses leur ayant donné leur liberté pour toute la journée — la princesse Charlotte se mit à faire l'éloge de Mme de Warf, de son intelligence, de sa beauté...

Le prince Frantz l'interrompit avec un petit rire railleur :

— Je vous en prie, ma tante, ne nous parlez pas de son intelligence ! Ou alors, prenez ce mot dans le sens de ruse, de finesse, d'habileté. Sur ce point-là, je serai d'accord avec vous. Mais quant à être une femme réellement, profondément intelligente, non, cent fois non !

La princesse Charlotte est restée stupéfaite de ce jugement. Mais elle n'a pas osé le discuter. Lorsque son neveu a prononcé, sur un sujet quelconque, elle ne trouve plus rien à dire.

D'ailleurs, tout l'entourage du prince, toutes ses relations, paraissent dans le même cas. Visiblement, il est adulé, flatté à outrance. D'après quelques mots de sa sœur, j'ai compris qu'il en était ainsi depuis son enfance. Il a toujours ensorcelé ceux qui l'approchent et on l'a traité en idole qu'on encense pour obtenir ses faveurs.

Je le crois très conscient du pouvoir que lui donnent à la fois son rang et ses dons physiques. Mais il ne me semble pas qu'il soit aucunement ce qu'on appelle un fat. Et il est resté très bon.

Demain, il part en auto pour Deauville, où il va passer deux jours.

26 août

En entrant ce matin dans la chambre de la princesse, j'y ai trouvé le prince Frantz. Il m'a dit :

— J'ai une pénible nouvelle à vous apprendre, mademoiselle. Les démarches faites en Alsace nous apprennent ceci : de la famille Herseng, il ne reste aujourd'hui qu'une veuve et deux enfants, habitant Colmar. Les tombes de Jean-Marie Herseng et de Marguerite-Odile Defrage se voient encore dans un cimetière de Mulhouse. Et, à côté, il y a celle d'Odile-Marie-Henriette Herseng, décédée le 3 avril 1905, à l'âge de dix-huit mois.

Je répète :

— Odile-Marie-Henriette ?... C'est moi... Qu'est-ce que cela veut dire ?

— Qu'on vous a donné un état civil qui n'était pas le vôtre, mademoiselle. Dans les archives de l'hôtel de ville, à Mulhouse, il a été impossible de retrouver l'acte de décès de cette petite Odile. Cette veuve, cependant, cette dame Herseng, assure que l'enfant est morte d'une méningite foudroyante et elle a montré à mon mandataire la lettre du père l'en informant. Il venait de perdre sa femme et ne lui survécut que quelques mois. C'était un ingénieur en fréquentes relations d'affaires avec des industries autrichiennes... Pour en revenir à cet acte de décès, il est à supposer qu'il a été soustrait, sans doute par quelque employé que soudoyèrent vos mystérieux ennemis.

Je restai un moment sans parole. L'angoisse m'étouffait. Ainsi, c'était bien vrai, ce que j'avais tant redouté !

Je murmurai sourdement :

— C'est affreux ! C'est affreux ! Je n'ai plus de nom... je ne sais plus qui je suis...

Un sanglot me vint à la gorge. La princesse, m'attirant vers elle, mit son bras autour de mes épaules.

— Ma pauvre chérie, ne vous désolez pas ! Nous chercherons, nous finirons par éclaircir ce mystère... Et puis, vous aurez toujours en nous des amis dévoués.

Le prince Frantz m'avait pris la main et, lui aussi, avec une bonté délicate, me disait d'espérer, de compter toujours sur son aide. Il allait faire continuer les recherches en Alsace, en France, en Allemagne. Il fallait que l'on retrouvât cette Mme Herseng — qui n'était pas plus Herseng que moi, d'après les renseignements pris à Mulhouse, Jean-Henri Herseng n'ayant jamais eu de sœur.

Un peu réconfortée, j'ai remercié le prince avec émotion. Mais en me retrouvant seule, un peu plus tard, cette pensée m'est revenue, tenace, lancinante : « Je ne suis pas Odile Herseng... Alors, qui suis-je ? Qui suis-je ? »

C'est terrible, ce mystère qui m'entoure !... ce mystère dans lequel j'ai vécu pendant dix-huit ans, près de celle que j'appelais ma tante et qui n'était qu'une ennemie !

DEUXIÈME PARTIE

30 août

Nous arriverons à destination demain. Dennestadt est la petite capitale de la principauté. Mais les princesses habitent, hiver et été, le château de Wenseid, distant de quelques kilomètres. Situé près de la forêt, il jouit d'un air plus vif et plus sain, favorable à la santé de la princesse Hilda. Le prince y passe l'été et l'automne. L'hiver, il occupe son appartement de la Résidence, à Dennestadt.

J'écris ces lignes dans le wagon-salon, tandis que les princesses et Mme de Griehl somnolent. Mme de Warf lit quelque roman nouveau, dont elle parlera tout à l'heure avec le prince Frantz. Celui-ci et son aide de camp se sont retirés dans le couloir pour fumer. Je suis libre de tracer ici quelques rapides impressions de voyage.

Tout se passe avec une facilité, une recherche de confort dont je n'avais nulle idée.
Les princes de Drosen disposent, paraît-il,
d'énormes revenus. Et le prince Frantz s'en-
tend à mener grand train. Dans ses voyages,
il emmène toujours, outre un personnel nombreux, ses chevaux, ses automobiles, ses
chiens favoris. Très généreux pour son entourage, il ne se laisse cependant pas tromper et
contrôle lui-même tous les comptes qui lui
sont soumis. J'ai déjà remarqué, d'ailleurs,
le mélange d'idées sérieuses et de préoccu-
pations frivoles chez lui. Il paraît fermement
croyant et il a une grande maturité d'esprit,
un jugement très sûr et très net. Avec cela,
il est extrêmement mondain : il s'entoure
d'un raffinement de luxe qui me semble bien
peu viril et quelque peu païen.

Mais comme il est bon pour moi ! Si simple, si cordial ! J'apprécie d'autant plus cette
bienveillance quand je vois combien il sait
se montrer hautain, froidement distant.
Mme de Griehl s'effondre littéralement en sa
présence. Elle ne remue pas, respire à peine,
sans doute dans l'espoir de se faire oublier.
C'est amusant, de voir cette grosse figure
éternellement souriante et ces yeux qui glissent un coup d'œil apeuré vers le prince.
C'est amusant et c'est triste. Car on sent que

cette femme serait prête à toutes les platitu-
des, si elle avait espoir de voir cesser sa disgrâce.

Mais, si peu sympathique qu'elle me soit,
sa nièce me déplaît encore davantage. Pendant ce voyage où le prince Frantz s'est
trouvé plus fréquemment parmi nous, j'ai
fini par remarquer les manœuvres très habi-
les de la baronne pour attirer son attention.
Miss Hobson l'a bien dit, c'est une coquette.
Réussit-elle près de lui ? Je suis trop inexpérimentée pour me prononcer là-dessus. Il lui
témoigne parfois une sorte d'amabilité rail-
leuse et semble prendre plaisir à s'entretenir
avec elle. Pourtant, il a dit lui-même qu'elle
n'était pas intelligente — et lui l'est tellement ! Mais elle parle de mondanités ; il aime
cela sans doute. Et puis, elle le flatte — oh !
si habilement ! en paroles et aussi par son
regard qui l'admire, humblement, fanatique-
ment.

Les princesses ne paraissent pas s'en apercevoir. C'est peut-être moi qui m'imagine
tout cela. Il est vrai que je suis très observatrice et que j'apporte — je ne sais pourquoi — un intérêt particulier aux faits et
gestes de Mme de Warf.

31 août

Me voici à Wenseid. Nous sommes arrivés à deux heures à la gare de Dennestadt, où des fonctionnaires attendaient pour saluer le prince et sa suite. Dans des automobiles, nous avons traversé la ville. Les habitants, massés sur le parcours, saluaient et acclamaient chaleureusement. Mme de Griehl fit observer avec son éternel sourire :

— Le prince est décidément de ceux à qui l'on pardonne tout. Ses sujets, qui sont si fiers de lui, devraient lui garder rancune d'aller se distraire loin d'eux une partie de l'année. Mais non, ils l'accueillent avec la même joie reconnaissante, chaque fois qu'il veut bien leur permettre de jouir de sa présence pendant quelques mois.

Mme de Warf répliqua vivement :

— En vérité, ils ne pourraient raisonnablement prétendre qu'un prince comme celui-là s'enterrât toute l'année dans sa petite capitale, alors que les grands centres mondains lui font fête et qu'il peut y jouir de toutes les distractions imaginables ! Mais ils l'ont compris et je crois même qu'ils se glorifient du renom d'élégance et de mondanité de leur futur maître.

Nous passâmes devant la résidence, grande bâtisse assez sombre, mais d'aspect imposant. Le prince régnant ne s'y trouve pas en ce moment. Il est en villégiature à son domaine de Habenau, un peu au-delà de Wenseid. Le prince Frantz doit aller l'y saluer demain.

Par une large route ombragée, nous sommes arrivés à Wenseid. C'est un petit château fort gracieux, dans le style du XVIIIe siècle. Des jardins à la française l'entourent. Au-delà, c'est le parc, vaste et superbe, puis la forêt. A notre arrivée, le soleil couchant s'abaissait sur les frondaisons épaisses et se répandait en clairs rayons le long des façades blanches. Des parfums délicats venaient des jardins, des terrasses de marbre rose admirablement fleuries. Ma première impression a été délicieuse. Le prince et sa sœur avaient raison quand ils me disaient : « Vous verrez bien comme Wenseid vous plaira. » Et vraiment, c'est bien ainsi que je représentais sa demeure, à lui, si distingué de goût, si pétillant d'esprit. Je n'aurais pu imaginer qu'il habitât une demeure de lourd style germanique.

Mon appartement, tout proche de celui de la princesse Hilda, est charmant. Ma chambre et le petit salon voisin sont meublés dans le style Louis XV et leur élégance discrète

me plaît infiniment. Je découvre de mes
fenêtres toute la perspective des jardins et,
plus loin, une grande pièce d'eau sur laquelle,
sans bruit, glissent des cygnes. Après cela
commence le parc, que je me propose de par-
courir le plus tôt possible.

2 *septembre*

J'ai assisté ce matin à la messe dans la chapelle du château. Le chapelain est un vieillard à l'air pieux et doux. Je pense que je me
confierai facilement à lui, si quelque difficulté
se présente dans ma nouvelle existence.

La princesse n'ayant pas encore besoin de
moi à cette heure, j'ai fait une promenade
dans les jardins et dans le parc. Celui-ci m'a
paru magnifique. Quelles merveilleuses allées
de verdure où l'œil se perd dans le clair-
obscur lointain ! En revenant, je me suis
arrêtée près de la pièce d'eau. Elle semble
très profonde. Les feuillages voisins proje-
taient une ombre mouvante sur l'eau couleur
d'étain, luisante sous le soleil et sillonnée de
petites rides. Des nénuphars élevaient leurs
corolles blanches au-dessus des feuilles im-
mobiles. Je restai là un long moment, res-

pirant l'air vif et sain venu de la forêt. Au loin, un trot de cheval se faisait entendre. D'une allée déboucha un cavalier. Il vint vers moi et je reconnus le prince Frantz.

— Bonjour, mademoiselle. Vous profitez de cette matinée exquise ? Que dites-vous de Wenseid ?

Je laissai voir tout mon enthousiasme. Il sourit en répliquant :

— Je sais que vous êtes sincère, vous, que vous ne me dites pas cela par flatterie, comme les autres.

— Je ne saurais le faire !

— Oh ! surtout, ne l'apprenez pas !

Il se penchait un peu, d'un mouvement souple, en maintenant sa monture fougueuse dont les jambes fines frémissaient. Ses yeux s'attachaient sur moi, impérieux et doux à la fois.

— ... Restez ce que vous êtes. Ne vous laissez pas transformer par l'air de la cour, dont vous respirez quelque chose ici. Vous êtes loyale, délicate, vous avez l'âme ardente et jeune. Conservez avec soin tous ces dons charmants et trop rares... Et laissez-moi vous faire une recommandation : n'ayez aucune sorte d'intimité avec Mme de Warf, défiez-vous d'elle, comme d'une... oui, comme d'une ennemie.

4

Je restai un moment stupéfaite, sans parole. Puis, vivement, je ripostai :

— Oh ! monsieur, ce me sera bien facile, car je n'ai aucune sympathie pour elle.

Son rire jeune et vibrant résonna :

— Je m'en doute ! Vous êtes si différente ! Les ténèbres et la lumière... Mais elle est fort habile. Et je considère comme de mon devoir de vous mettre en garde contre les embûches, car me voilà, en quelque sorte, votre tuteur.

C'était vrai. Je n'avais pas réfléchi à cela. En attendant qu'on me découvrît un état civil, peut-être une famille, il me faut un tuteur. Je dis avec confusion :

— J'abuse de votre bonté ! Quel ennui je vous donne !

Le prince se pencha un peu plus. Une lueur ardente, éblouissante, passa dans son regard. Il dit à mi-voix :

— Donnez-m'en beaucoup comme celui-là, je vous en prie !

Il s'interrompit et se redressa en rendant la main à son cheval.

— Allons, au revoir, mademoiselle. J'espère qu'en connaissant mieux Wenseid vous conserverez la même bonne impression qu'aujourd'hui.

Il souleva son chapeau et s'éloigna. Je le

suivis des yeux, admirant les formes superbes du cheval et l'élégance incomparable du cavalier.

Puis je revins lentement. Les jardins me paraissaient plus beaux encore, le soleil plus clair et plus chaud. Je me sentais heureuse, un peu frissonnante, doucement éblouie. Toute la journée, j'ai conservé cette impression. Aussi, la princesse Hilda m'a-t-elle dit cet après-midi :

— Vous êtes toute rêveuse, Odile. Mais cela vous va bien. Vos yeux n'en ont que plus de charme.

Mme de Warf, qui brodait, a levé à ce moment la tête et m'a lancé un coup d'œil que je ne puis m'empêcher de qualifier d'hostile. Pourquoi ? Que lui ai-je fait ?

Le prince, parti à dix heures pour le château de Habenau, est revenu vers la fin de l'après-midi. Il ramenait le prince régnant qui n'avait pas voulu attendre pour embrasser sa sœur et sa nièce. Je lui ai été présentée. C'est un petit homme aux cheveux grisonnants, à la mine douce et effacée. Il se montra très bienveillant pour moi, s'intéressa beaucoup aux récents événements de ma vie et témoigna le désir d'être tenu au courant des recherches entreprises.

Le dîner a été servi — comme il le sera

chaque soir — dans la grande salle à manger
ornée de magnifiques panneaux peints et de
tapisseries de Flandre. Les hommes sont en
uniforme ou en habit, les femmes en robe dé-
colletée. J'ai étrenné une de mes plus jolies
toilettes, une robe d'un pâle gris argenté,
très simple de forme, mais qui tombe en
plis moelleux et qui a des tons soyeux d'un
très bel effet. Je l'aime pour cette élégance
discrète. Et c'est pour cela aussi qu'elle a dû
plaire au prince Frantz, si connaisseur. Au
cours de la soirée, il s'est approché de moi,
tandis que je bavardais avec le chambellan,
M. de Ternit, qui me parlait avec enthousiasme de Paris, où il a fait dans sa jeunesse
de fréquents séjours.

— Oui, Paris est une ville unique, approuva le prince. Où trouverait-on, par
exemple, des artistes capables de réaliser quelque chose d'aussi délicieux que ceci ?

Il désignait ma robe. M. de Ternit approuva vivement :

— Certes! Mais ne faudrait-il pas ajouter
que les Françaises, surtout, savent porter ces
choses admirables ! Et Mlle Herseng est,
sous ce rapport, la plus française des Françaises.

— Très juste, Ternit.

J'avais rougi, moins du compliment que du

regard qui l'approuvait. Le prince sourit et changea de conversation. Il resta là pendant un quart d'heure et ne cessa de regarder ma robe qui paraît décidément lui plaire beaucoup. Cependant, il est habitué à voir des femmes très élégantes. Mme de Warf avait, ce soir, une toilette superbe. Mais je ne crois pas que le prince lui en ait fait compliment.

9 septembre

Voilà une semaine que je suis à Wenseid. L'existence m'y paraît, jusqu'ici, très agréable. Tous les matins, après la messe, je fais une promenade dans le parc ou dans la campagne qui est riche et fort belle. En rentrant, je reste dans mon appartement jusqu'à onze heures. Puis je descends près de la princesse pour faire sa correspondance et lui lire dans le journal les nouvelles qui l'intéressent. Généralement, Mme de Griehl n'est pas là à cette heure et c'est le moment où nous bavardons intimement. Vers midi, la princesse Hilda se rend chez sa tante, où la rejoint son frère. Alors, je déjeune avec les dames d'honneur, le médecin, les secrétaires du prince, l'aide de camp et le chambellan. Celui-ci, qui m'avait paru sympathique au premier abord, me déplaît maintenant. Est-ce à cause de son aspect froid, de sa morgue apparente ? Mais il les dépouille en ma faveur ; il est très aimable envers moi et ne perd pas une occasion de me glisser des compliments discrets. Or, ce sont ceux-ci, précisément, qui me sont désagréables. Et je déteste aussi la flatterie servile dont ce M. de Ternit, un homme de soixante ans, à cheveux gris, use à l'égard du prince Frantz.

Les secrétaires, l'un vieux et l'autre jeune, sont des gens distingués, de conversation agréable. Le docteur Vernet est un excellent homme, enthousiaste du prince Frantz. Mais, chez lui, on sent l'affection vraie, désintéressée.

— Personne ne le connaît bien, nous a-t-il déclaré ce matin. Il y a des trésors dans cette âme-là. Jusqu'ici, il a un peu gaspillé sa vie, beaucoup moins que ne l'auraient fait à sa place d'autres jeunes gens moins sérieusement doués. Mais il arrivera quelque jour à un tournant d'existence où la vraie voie se montrera à lui.

Mme de Warf, qui pelait une pêche, demanda :

— Qu'entendez-vous par tournant d'existence ? Est-ce le mariage ?

— Précisément.

M. de Ternit se mit à rire :

— Je crois que le prince n'est aucunement pressé !

— Pressé, non. Mais il peut se présenter une occasion...

— Il n'en est pas besoin. Le prince sait que ses yeux affolent tous les cœurs de femmes et que de très hautes princesses d'Europe sont amoureuses de lui. Il n'a qu'à choisir... mais il n'est pas pressé, vous dis-je.

— Il n'a que vingt-huit ans, il peut attendre encore, bien que ce soit vraiment le bon âge. N'avait-on pas parlé, l'hiver dernier, de la grande-duchesse Hélène ?

M. de Ternit eut un petit rire étouffé :

— Oui, vaguement. On en parlait encore au printemps. Mais maintenant il n'en est plus question. Le prince a changé d'avis et de goût. La grande-duchesse est blonde et le prince aime une nuance de cheveux un peu plus foncée, une de ces nuances chaudement dorées, si rares et vraiment merveilleuses, j'en conviens.

A ce moment, la pêche, à demi pelée, glissa sur l'assiette de Mme de Warf. Le docteur dit d'un ton ironique et assez sec :

— Le prince vous a-t-il donc fait ses confidences, monsieur de Ternit ?

— Oh ! non pas ! Mais il y a des choses qui se devinent si bien !

Le docteur riposta du même ton sec, sous lequel je crus discerner de l'irritation :

— On se trompe souvent, croyez-moi. Mieux vaut ne pas juger d'avance.

Et, par une question adressée à l'un des secrétaires, il changea le sujet de l'entretien.

Je ne sais pourquoi les paroles de M. de Ternit ont fait souffler sur tous comme un vent de gêne. Pourquoi aussi le docteur Vernet semblait-il mécontent ? Pourquoi la main de Mme de Warf tremblait-elle un peu quand elle a repris la fourchette pour piquer la pêche ? Ce que M. de Ternit a dit n'avait rien, il me semble, qui pût motiver cette émotion... A moins que la baronne ne soit émue à l'idée que la beauté blonde n'est pas appréciée par le prince. Elle est bien capable de cette sottise. Si ce pouvait être au moins une petite douche salutaire pour sa coquetterie !

Après le déjeuner, je vais faire une lecture à la princesse Hilda, dans le grand salon Louis XVI du rez-de-chaussée qui est le lieu de réunion intime, ou sur la terrasse qui longe toute cette façade du château. La princesse Charlotte, pendant ce temps, travaille à ses poésies ou à sa peinture. Vers trois heures, nous faisons une promenade à pied

ou en voiture. Le prince Frantz nous accompagne parfois, quand il n'est pas en partie de chasse au château de Habenau, ou
dans son propre domaine. Au retour, après
le thé, je lis encore, ou bien nous bavardons
en travaillant. Le prince s'attarde souvent
avec nous. Parfois, le prince régnant arrive
pour passer la soirée, avec sa suite. Ou bien
ce sont des visiteurs venant faire leur cour
et que les princesses retiennent quelquefois
à dîner. Dans la soirée, on fait de la musique,
on établit des tables de bridge. Le prince
régnant et sa sœur sont fanatiques de ce jeu.
Le prince Frantz est plus tiède. Il aime mieux
parler avec ses invités et c'est un honneur
dont ceux-ci paraissent singulièrement avi-
des, les femmes encore plus que les hommes.
M. de Ternit a raison, je crois qu'elles sont
toutes amoureuses de lui. J'aime son attitude
près d'elles. Il est courtois, aimable, un peu
distant, ironique souvent, avec un rien d'im-
pertinence, parfois, qui est charmant chez
lui, parce qu'il sait l'envelopper délicieuse-
ment. En le voyant ainsi adulé, je m'étonne
de plus en plus qu'il ne soit pas tombé
dans le travers de la fatuité. Mais cette ido-
lâtrie de son entourage — y compris le prince
régnant — paraît avoir développé chez lui
l'esprit de domination. Il est très autoritaire

et n'admet pas que l'on discute ses volontés. Sa sœur elle-même, si tendrement chérie qu'elle soit, semble avoir sous ce rapport assez peu d'influence. Cette tendance, qui serait dangereuse chez un homme d'intelligence et de jugement ordinaires, présente moins d'inconvénients chez lui, si bien doué sous ce rapport. Il domine complètement le prince régnant et, en réalité, c'est lui qui dirige les affaires de la principauté. Je crois que personne ne s'en plaint. Mais la princesse Hilda m'a confié que son oncle et elle voudraient le voir marié pour que sa femme pût faire les honneurs de la cour, privée de princesse depuis le veuvage du souverain.

Elle sera heureuse, celle qu'il épousera. Il est si bon, si charmant ! Comme ce doit être délicieux, son affection !

12 septembre

Wenseid a de tragiques souvenirs. Je viens de l'apprendre aujourd'hui.

Cet après-midi, nous travaillions sur la terrasse, les princesses, leurs dames d'honneur et moi. Mme de Warf brodait un sac. Comme j'admirais son ouvrage, elle répondit :

— C'est un point fort ancien qui avait été retrouvé par cette pauvre princesse Stéphanie et qu'elle montra à ma mère, jadis... bien peu de temps avant l'accident.

— Quel accident ?

La princesse Hilda dit avec tristesse :

— On trouva notre pauvre cousine noyée dans la pièce d'eau. Le château lui appartenait, à cette époque, et elle occupait cet appartement...

Elle désignait les pièces faisant suite au salon Louis XVI et donnant aussi sur la terrasse. Là se trouve actuellement l'appartement du prince Frantz.

— ... Je ne l'ai pas connue, car j'étais une toute petite fille, alors. Elle était, dit-on, non pas jolie, mais charmante et fine, spirituelle.

— Mais comment cet accident se produisit-il ?

— On l'ignore... Vous avez avalé de travers, ma tante ?

La princesse Charlotte venait d'être prise d'une petite toux sèche. Elle répondit :

— Oui, oui, en effet... ce n'est rien.

Là-bas, au seuil d'une porte-fenêtre, apparut à ce moment la haute silhouette du prince Frantz. Il vint vers nous, en souriant à sa sœur. Mme de Griehl et moi, nous nous levâmes pour faire notre révérence. Il salua distraitement les dames d'honneur, caressa du bout des doigts la joue de sa sœur et se baissa pour ramasser un écheveau de coton qui avait glissé de mes genoux.

— Oh ! pardon ! murmurai-je avec confusion.

Ses yeux sourirent en me regardant. Il s'assit près de sa sœur et demanda :

— De quoi parliez-vous ?

— De la princesse Stéphanie. Odile me demandait comment l'accident était arrivé.

Il me sembla que la physionomie du prince s'assombrissait légèrement. Il dit d'un ton bref :

— On n'en a vraiment rien su.

Et, sans affectation, il changea le sujet de l'entretien.

Ce soir, il y avait un certain nombre de convives autour de la table princière. Après le dîner, la température étant d'une extrême douceur, des groupes se formèrent sur la terrasse. Voyant la princesse Hilda en conversation avec des amis, je m'écartai et allai m'accouder à la balustrade pour jouir en paix de la vue du clair de lune sur les jardins. Mais presque aussitôt, j'entendis quelqu'un s'approcher. C'était Mme de Warf, tout de blanc vêtue.

— Quelle soirée idéale ! n'est-ce pas, mademoiselle ?

— Idéale, en effet.

Ma voix était froide. Je réprimais difficilement mon impatience de voir troublées ces quelques minutes de liberté, par elle surtout.

— Et cette terrasse magnifique permet d'en jouir mieux encore. Wenseid est vraiment un lieu de délices. La princesse Stéphanie, dont nous parlions cet après-midi, l'aimait beaucoup. Pauvre princesse ! Vous avez remarqué que le prince a détourné la conversation ? C'est qu'il veut laisser ignorer la vérité à sa sœur, très impressionnable. Car il n'y eut pas accident, en réalité, mais crime ou suicide.

Je m'écartai de la balustrade, par un instinctif mouvement d'effroi.

— Crime ou suicide ?

— Oui, on n'a jamais pu savoir lequel des deux. Car la princesse vivait ici très solitaire, avec sa dame d'honneur, Mme de Menan, et quelques serviteurs dévoués. On disait — tout bas — qu'elle était mariée secrètement à un Français, le beau marquis de Montsoreil. Elle l'avait épousé en Italie et ils vivaient tous deux à Florence une grande partie de l'année. Lui, chuchotait-on, venait ici parfois, mais personne ne le voyait.

La princesse craignait la colère de son frère, le prince Luitpold, qui ne lui eût jamais pardonné une mésalliance. Du moins, ce fut l'explication que les serviteurs donnèrent plus tard quand, après la mort de leur maîtresse, on s'étonna qu'elle eût tenu caché ce mariage, qui aurait pu être morganatique, ce Français appartenant à une très noble famille ayant eu autrefois des alliances princières. En réalité, y eut-il mariage ? Le fait fut d'autant plus contesté qu'on ne put retrouver cette union. La petite église ombrienne où elle avait soi-disant été bénie venait d'être détruite peu de temps auparavant par un incendie. Il y avait bien la femme de chambre de la princesse qui prétendait avoir assisté à la cérémonie, qui nommait les témoins, qu'on ne put retrouver par la suite. Elle assurait aussi que la dame d'honneur était présente. Mais Mme de Menan démentit formellement cette assertion, en déclarant que jamais elle n'avait eu connaissance d'un mariage secret. Comme cette femme s'obstinait dans ses dires et accusait de mensonge la dame d'honneur, on l'arrêta et elle fut condamnée à un certain temps de prison pour faux témoignage. Toute cette affaire fit beaucoup de bruit en son temps. Aujourd'hui, on n'en parle plus guère.

— Mais pourquoi n'a-t-on pas conclu à un accident ?

— Parce que, lorsqu'on ramena le corps du fond de l'eau, on s'aperçut que deux énormes pierres étaient attachées aux bras. La princesse avait une réputation d'excellente nageuse. On conclut qu'elle avait trouvé ce moyen sûr de ne pas se débattre malgré elle.

— Il me semble qu'on aurait pu conclure aussi vraisemblablement à un crime ?

— C'est certain. Mais le prince Luitpold penchait beaucoup pour l'hypothèse du suicide. La princesse avait de pénibles déboires du côté de M. de Montsoreil, assurait-on. Elle n'a pas eu le courage de supporter ces désillusions, après l'avoir beaucoup aimé. Ce ne fut, d'ailleurs, qu'une des nombreuses versions colportées à cette époque. On parla bien aussi de crime. Le chambellan de la princesse assura avoir vu des empreintes de pas d'homme dans l'allée menant à la terrasse. Un domestique confirma ce témoignage. Mais quand on voulut les relever, elles avaient disparu. D'autre part, les serviteurs, questionnés, ne savaient rien. Et jamais cette mystérieuse affaire ne put être éclaircie.

— Comme c'est étrange !... Et lui ?... le Français ?

— Lui, le même jour, était provoqué dans un cercle, à Florence, par un Autrichien, le comte Knadoff, un bretteur fameux. Ils se battirent et M. de Montsoreil fut mortellement blessé.

Un frisson me parcourut. Quelle tragique, épouvantable histoire !

— Cela vous impressionne ? C'est terrible, en effet. Mais enfin, c'est du passé. Personne n'y pense plus guère ici, je le parie. On a fait très vite le silence là-dessus, d'ailleurs. Le prince Luitpold, croyant au suicide, ne se souciait pas que l'on épiloguât indéfiniment sur la mémoire de sa sœur et s'efforça, de concert avec le prince régnant et tous les membres de la famille, de répandre la version de l'accident. Héritier de la défunte, il vendit Wenseid au prince Josef, père du prince Frantz et de la princesse Hilda, en se réservant seulement la jouissance d'un pavillon de chasse, dans la forêt, et s'installa à Vienne, où il mène une existence peu édifiante en dépensant fastueusement la grosse fortune de sa sœur. Parfois, il fait ici une courte apparition, généralement à la saison des chasses. C'est un homme fort aimable, mais on le dit brutal et violent pour ceux qui dépendent de lui.

Et, baissant la voix, elle ajouta :

— Je crois que le prince Frantz ne l'aime pas du tout.

Elle s'éloigna pour répondre à un appel de la princesse Charlotte. Je m'accoudai de nouveau à la balustrade. Ce dramatique récit me laissait un peu frissonnante et le petit château, les jardins, la pièce d'eau, tout ce que j'avais trouvé si charmant, m'apparaissait maintenant à travers un voile de terrible mystère. Absorbée dans ces pensées, je sursautai presque lorsque quelqu'un s'approcha et vint se placer près de moi.

— Eh bien ! qu'y a-t-il donc ?

C'était le prince Frantz. Il se pencha un peu en ajoutant avec un sourire :

— Vous ai-je fait peur ?

— Oh ! non, monsieur. Mais j'étais distraite... Je pensais à ce qui s'est passé ici...

En parlant, j'étendais la main dans la direction de la pièce d'eau. La physionomie du prince devint sérieuse et très mécontente.

— Mme de Warf vous a raconté toute cette histoire, sans doute ? Elle aurait pu s'en dispenser. Il était inutile de vous faire connaître ce triste épisode et de gâter pour vous le charme de cette demeure. La peste soit des bavardes !

— Je l'ai bien un peu engagée à parler. Car, si Mme de Warf est bavarde, moi, je suis curieuse. Donc, je dois recueillir une part de vos reproches.

Il se mit à rire.

— La curiosité est un défaut très féminin. Il vous sied donc de l'avoir et je ne me sens pas le courage de vous en blâmer.

Ses yeux superbes s'attachaient sur moi, caressants et vifs. Il ajouta à mi-voix :

— Vous êtes délicieuse, avec cette robe gris argent. C'est celle que je préfère.

Je détournai les yeux. Mon cœur se mettait à battre plus fort. Le prince répéta d'une voix basse et vibrante :

— Vous êtes délicieuse !

Une joie troublante m'envahit... puis, aussitôt, le désir de m'éloigner, de rejoindre la princesse. Mais je ne pouvais pas rompre la première cet entretien... Je m'écartai seulement un peu. Alors je le vis sourire, très doucement.

— Vous n'aimez pas les compliments ?

Je murmurai :

— Non, monsieur.

— En ce cas, je tâcherai de ne plus vous en faire. Si je manque à cette convention, rappelez-moi à l'ordre, tout simplement.

Il se tut un moment. Je n'osais le regarder. Mes yeux s'attachaient distraitement sur l'œillet rose ornant sa boutonnière, un de ces œillets énormes cultivés dans les jardins de Wenseid et qui sont uniques au monde pour leur nuance et leur beauté, assure-t-on.

— Vous regardez le clair de lune sur les jardins ?

— Oui, monsieur... Mais la lumière électrique s'étend trop loin et empêche de...

— Il est très facile de remédier à cela...

Il s'écarta et appela :

— Monsieur de Ternit !

Le chambellan, toujours aux aguets pour accourir au moindre signe du maître, s'empressa d'avancer.

— Faites baisser l'électricité sur cette partie de la terrasse, je vous prie.

Je m'étais détournée aussi. Des groupes se disséminaient çà et là en bavardant. Il me sembla que tous les yeux étaient tournés vers nous et une gêne profonde me pénétra tout à coup, en me voyant seule avec le prince, à l'écart.

Je murmurai :

— Pardon, monsieur, je crois que la princesse Hilda me fait signe...

— Mais non, pas du tout. Elle est très occupée à converser avec Mme de Woechten, une excellente personne qui lui est très sympathique.

A ce moment, les lampes électriques qui

éclairaient la partie de la terrasse où nous nous trouvions baissèrent et devinrent de pâles veilleuses. Le prince dit en riant :

— Elle ne vous gêneront plus pour contempler le clair de lune.

La clarté d'un gris léger s'étendait sur les parterres aux lignes géométriques, sur la pièce d'eau qui prenait des teintes d'argent mat. Les arbres du parc s'enfonçaient dans une nuit claire et bleuâtre. Un souffle d'air, venu de la forêt, apportait des parfums de sève et de feuillages. Le prince murmura :

— Quelle merveilleuse soirée !

Intérieurement, je fis écho à cette parole. Je sentais comme une joie courir en moi... Mais une gêne pénible, une sorte d'effroi s'y mêlaient. Je trouvais cette nuit admirable, j'aurais voulu rester là toujours et j'avais hâte cependant de m'éloigner.

Mais le prince ne semblait pas pressé, lui. Il me retint là encore un long moment, en me parlant de la santé de sa sœur, qui s'améliorait vraiment. Son regard, qui ne me quittait pas, était ce soir d'une douceur ardente qui me troublait. Je répondais machinalement. Il me demanda :

— Etes-vous fatiguée ?

— Un peu, oui, monsieur.

— Et je vous retiens debout ! Il fallait me le dire... Une autre fois, ne soyez pas si scrupuleuse observatrice de l'étiquette. Celle-ci est bonne pour le commun des courtisans. Mais vous, vous êtes l'amie d'Hilda... et ma pupille. Je veux que vous soyez très simple, très à l'aise avec moi.

Nous revînmes au milieu des groupes. J'allai m'asseoir près de la princesse Hilda, qui m'accueillit par un sourire. Je remarquai que Mme de Woechten, une femme d'un certain âge, me regardait longuement, d'un air perplexe et sans beaucoup de bienveillance, me parut-il. Jusqu'ici, chaque fois qu'elle est venue à Wenseid, elle a été aimable pour moi, et je sais qu'elle a dit à la princesse Charlotte que je lui plaisais beaucoup. Ce soir, elle m'a très peu parlé. Je me demande ce qu'elle a.

. . . .

Maintenant, me voici rentrée dans mon appartement. Et c'est l'heure de l'examen de conscience.

Pourquoi, en m'habillant pour le dîner, me suis-je longuement contemplée dans la grande psyché et ai-je songé avec une joie orgueilleuse que ma jeune beauté, le charme vivant et profond de mes yeux n'avaient rien à craindre de la comparaison avec une autre femme ? Pourquoi, depuis quelque temps, ai-je ap-

porté tant d'attention à ma toilette ? Pourquoi ai-je adopté depuis quelques jours cette
coiffure basse qui me va si bien ? « On » me
l'a dit.

C'est que, moi qui me croyais si fière, je
suis tout simplement une coquette, comme
Mme de Warf. L'admiration que je lis si souvent dans deux yeux superbes m'a grisée. J'ai
voulu plaire, toujours, plaire davantage encore à ces yeux-là... Et j'y ai réussi, trop bien.
Car ce soir, mon cœur est troublé... tellement
troublé que je ne sais plus si c'est une joie ou
une souffrance que j'éprouve.

Je rougis de honte et de remords, en mettant mon visage entre mes mains qui trem-
blent. Je répète : « Coquette !... coquette ! »
En ce moment, je me méprise profondément.
Et cette robe qu'« on » trouve si jolie, je la
déteste... Il faut que je la quitte...

Me voilà maintenant en peignoir, assise de
nouveau devant ma table à écrire. J'ai déroulé
mes cheveux sur mes épaules, pour soulager
ma tête lasse. Demain, je reprendrai ma coiffure habituelle. Et je ne remettrai plus cette
robe grise.

Comme il arrive des parfums par cette fenêtre ouverte ! Les jardins embaument, la forêt aussi. L'air est doux, léger. La lune répand
une clarté bleue dans la nuit. Cette soirée est

incomparable. Et cependant je suis triste, si triste...

Demain, j'irai voir le père Lambert pour lui faire part du trouble de ma conscience. J'ai besoin d'être guidée, conseillée. Et puis, il faut que je prie beaucoup.

13 septembre

J'ai eu une nuit pénible, traversée de cauchemars. J'ai rêvé que la princesse Stéphanie sortait de la pièce d'eau et venait à moi en me tendant les bras. Un homme horrible s'élançait vers elle, la saisissait à bras-le-corps et essayait de la rejeter dans l'eau. Elle criait désespérément : « Mon enfant ! Mon enfant ! » Et moi, immobilisée par une force inconnue, je défaillais de terreur. Je m'éveillai toute tremblante. Machinalement, je murmurai une prière pour cette inconnue. Quand je réussis à me rendormir, un autre rêve survint. Je me débattais dans le lac en criant au secours. Le prince Frantz s'élançait pour me sauver. Mais le même homme affreux intervenait, le forçait à s'éloigner. Et ils disparaissaient tous deux, me laissant dans cette eau glacée.

Je claquais des dents en m'éveillant. Après

cela, il me fut impossible de retrouver le sommeil. Alors, dans cette insomnie, je revécus tous les jours de mon enfance, de mon adolescence, je revis le froid visage de Mme Herseng, ses yeux sans franchise, qui m'inspiraient un secret éloignement. De nouveau, je me demandai : « Qui est-elle ? qui suis-je ? » Aucun indice n'a encore pu mettre sur sa trace. Le mystère continue à entourer l'aventure dont j'ai été l'héroïne.

Si douce que me soit l'affection de la princesse Hilda, je n'oublie pas quelle douloureuse situation est la mienne. Et cette nuit, j'en ai éprouvé une angoisse si poignante que je me suis mise à sangloter, longtemps, le visage caché dans mon oreiller.

De bonne heure, j'ai été trouver le vieux chapelain. Quand j'eus fini de lui raconter ce qui me tourmentait, il me considéra un moment en silence. J'ai cru voir qu'un pli s'était formé sur son front et que son regard devenait soucieux. Enfin il m'a dit :

— Il ne faut pas vous tourmenter outre mesure, mon enfant. Certes, vous avez péché par vanité, par coquetterie. Mais vous vous en repentez bien sincèrement, je le vois. Désormais, veillez sur ce point-là. Songez que cette beauté, que vous avez pris plaisir à parer et à laisser admirer, est tout éphémère et finira dans la décrépitude de la vieillesse, dans l'horrible désagrégation du tombeau. Ces pensées-là, et celle de notre Dieu crucifié, abreuvé d'outrages, devenu méconnaissable, lui, « le plus beau des enfants des hommes », suffiront à vous maintenir dans l'humilité, si vous êtes une vraie chrétienne, comme je le vois.

Il s'interrompit, hésita un moment et reprit :

— Voyez-vous, ma chère enfant, vous avez une situation difficile. Vous êtes jeune, isolée, dépendante de ceux qui vous ont, très généreusement, donné une protection et un abri. Bien des périls rôdent autour de vous. L'un d'eux, surtout... Tenez, je vais vous parler franchement, parce que je vous crois honnête et droite. Notre prince est une âme loyale, généreuse, animée de très nobles sentiments. Mais il est jeune, adulé, accoutumé à voir tout plier devant son charme et sa volonté. Soyez prudente. Cantonnez-vous dans vos fonctions près de notre princesse Hilda, qui vous est déjà si tendrement attachée, comme elle me le confiait ces jours-ci. Ne soyez ni présomptueuse, ni trop craintive. Le tout est d'éviter l'orgueil, la coquetterie et, autant que possible, de ne pas avoir de conversation seul à seul avec le prince. Si innocente qu'elle puisse être, ceux qui en se-

raient les témoins auraient tôt fait d'en tirer
les pires déductions. Et puis... il vaut mieux
pour votre propre repos que vous preniez
cette attitude de grande réserve, croyez-en
mon expérience, ma chère enfant.

Je le remerciai et le quittai toute réconfortée
par sa bonté paternelle, par ses conseils que
je suis bien résolue à suivre. Il a raison, je dois
être très prudente. Tous ces gens de cour sont
aux aguets. Hier soir, j'en ai eu très vivement
l'impression. Désormais, je tâcherai de ne
plus m'éloigner de la princesse Hilda pour
éviter tout aparté avec « lui ».

Le trouble qui m'avait saisie hier soir s'est
un peu apaisé maintenant. Mais il n'a pas
complètement disparu. Comme le prince est
pour toute la journée à Habenau, aujour-
d'hui, j'espère pouvoir oublier plus facilement son regard, hier soir, quand il m'a dit :
« Vous êtes délicieuse ! » C'est cela qui me
trouble, je crois... Oh ! oui, comme je dois
prendre garde de ne pas céder, tel un pauvre
petit oiseau fasciné, à la séduction de ce
prince charmeur ! Mme Herseng n'avait pas
tort sur ce point-là, je m'en aperçois aujour-
d'hui.

Ce matin, au déjeuner, Mme de Warf
avait, en dépit du fard qu'elle s'était appli-
qué, la mine défaite d'une femme qui n'a

pas dormi. Elle m'a à peine adressé deux ou trois mots, du bout des lèvres. Le docteur Vernet m'a paru aussi tout singulier, comme soucieux. Mais M. de Ternit s'est montré encore plus empressé qu'à l'ordinaire près de moi. Il m'impatiente. J'aime beaucoup mieux la manière de M. de Brandel, dont l'amabilité me paraît plus franche, plus sympathique.

Cet après-midi, à un moment où nous étions seules, la princesse m'a demandé de l'appeler Hilda, dans l'intimité. J'objectai :

— Mais que dira le prince Frantz ?

— Je lui ai demandé, et il m'a répondu qu'il n'y voyait pas d'inconvénient.

Là-dessus, elle m'a embrassée et notre amitié s'est trouvée ainsi scellée une fois de plus. Chère Hilda, vous êtes maintenant tout ce que j'aime sur la terre ! Et vous êtes aussi la protectrice de mon isolement.

14 septembre

Deux incidents, dont l'un bien pénible pour moi...

Ce matin, au cours de ma promenade quotidienne dans le parc, je trouvai sur un banc une femme affaissée. C'était une personne âgée, vêtue simplement, tout en noir. Elle n'était pas évanouie, mais seulement très faible. Je lui offris d'aller chercher au château quelque cordial. Mais elle balbutia :

— Oh ! non, non, c'est inutile... seulement, si vous étiez assez bonne, gracieuse dame, pour m'aider à regagner la voiture qui m'a amenée ?

— Certainement, je le ferai avec plaisir. Mais je crois qu'il serait plus raisonnable de vous reposer encore un moment, ajoutai-je en remarquant l'altération de ce mince visage ridé, où deux yeux d'un bleu clair répandaient leur douceur triste.

— Oui, ce sera mieux... Allons, c'est la dernière fois que je ferai ce pèlerinage. Je suis trop vieille maintenant.

Elle soupira et deux larmes glissèrent sous ses paupières flétries.

Je m'assis près d'elle. Cette vieille femme à l'air honnête m'intéressait. De quel pèlerinage parlait-elle ? Je demandai :

— Vous venez de loin ?

— Non, de Dennestadt seulement. Je viens tous les ans... à l'anniversaire terrible.

Ses mains frissonnèrent sur sa jupe noire. Pendant un moment, elle tint ses paupières abaissées et je crus voir un sanglot soulever

la poitrine maigre, sous le mantelet de cache-
mire à l'ancienne mode.

Je me taisais, émue par cette douleur silencieuse dont le motif m'était inconnu.
L'étrangère rouvrit enfin les yeux et les leva
vers moi.

— Comme vous êtes bonne, gracieuse
dame, pour une vieille inconnue ! Vous plai-
rait-il de me dire votre nom ?

— Je suis Mlle Herseng, la lectrice française de la princesse Hilda.

— Ah ! vous êtes près de notre gentille
princesse...

Elle s'interrompit. Son regard s'attachait
sur moi avec une sorte de stupéfaction. Elle
murmura :

— Oh ! ce sont ses yeux !

— Ses yeux ? Les yeux de qui ?

Elle soupira en détournant un peu son regard.

— Les yeux de quelqu'un que j'ai connu
et qui est mort.

Elle se tut de nouveau. Mais la curiosité
me tenait maintenant, car je trouvais à cette
vieille femme des airs de mystère. Je demandai :

— Vous avez parlé de pèlerinage. Quel est
donc celui que vous faites ici ?

Elle tressaillit, un peu de rouge monta à

ses joues blêmes. Déjà devant son émotion,
je regrettais ma question indiscrète. Je la vis
hésiter... puis elle redressa la tête en me regardant d'un air résolu.

— Eh bien ! je ne vois pas pourquoi je
ne vous le dirai pas... même si l'on vous a
fait croire que Rosa Essler fut condamnée
justement. Que m'importent maintenant les
jugements des hommes ? Dieu sait bien, lui,
que j'ai dit la vérité... Je viens ici à cette
date, mademoiselle, pour prier près des lieux
qui furent témoins de la vie et de la mort de
ma chère princesse Stéphanie, cette victime...

— Vous êtes cette femme de chambre que
l'on accusa de faux témoignage ?

Elle redressa sa taille voûtée, tant qu'elle
put, en répondant d'une voix devenue
ferme :

— Oui, c'est moi.

La vieille femme affaiblie se transformait
tout à coup. Dans les yeux clairs, un reflet
de vie plus intense passa...

— ... C'est moi qui ai juré, sur mon salut
éternel, que j'avais assisté à l'union secrète de
la princesse Stéphanie et du marquis
de Montsoreil. C'est moi que l'on a accusée
de mensonge et condamnée. C'est moi encore
qui ai assuré que la princesse, si bonne chrétienne, n'avait pu se donner la mort... On a

préféré croire l'autre, la Menan, qui niait ce
mariage célébré en sa présence, qui prétendait que la princesse était en mésintelligence
avec M. de Montsoreil. Eux qui s'aimaient
si tendrement ! Ils ne se séparaient qu'avec
peine, quand la princesse quittait Florence
pour venir résider quelque temps ici. Plus
d'une fois, M. de Montsoreil arriva inopiné-
ment pour passer près d'elle une huitaine de
jours. Quelque temps avant... avant la chose
terrible, elle m'avait dit : « Je vais faire connaître mon mariage au prince régnant, de
telle sorte que je puisse le rendre officiel. Il
m'est impossible de vivre plus longtemps
ainsi. »

— Mais que craignait-elle donc ?

Rosa Essler baissa la voix et dit dans un
chuchotement :

— Elle était riche, très riche. Son frère
Luitpold avait peu de fortune et il lui fallait
beaucoup d'argent pour ses plaisirs. Il venait
lui en demander et lui faisait des scènes si
terribles qu'elle finissait par céder, car elle
avait peur de lui. La voyant arriver à l'âge de
trente ans sans être mariée, il s'imaginait
qu'elle resterait célibataire et comme elle
était de faible santé, il espérait sans doute un
prochain héritage. La princesse, qui le connaissait bien, devait craindre sa fureur, non

pour elle, mais pour son mari et son enfant.

— Elle avait un enfant ?

— Oui, une petite fille, très délicate. Quand la princesse vint ici pour la dernière fois, elle laissa le bébé, qui avait dix mois, aux soins de sa nourrice, une Autrichienne en qui elle avait toute confiance. Quelques jours après sa mort, cette femme écrivit pour annoncer que la petite Héléna était morte d'une méningite. Dans le chagrin qui me tenait alors, devant le double malheur, — vous savez comment mourut M. de Montsoreil, n'est-ce pas ? — cette nouvelle passa d'abord presque inaperçue. Un si petit enfant ! Je songeai même : « Pauvre mignonne, c'est une grâce que Dieu lui a faite de la rappeler maintenant qu'elle n'a plus ni père ni mère... » Et puis, plus tard, j'ai pensé que...

Elle s'interrompit, respira longuement et dit en baissant de nouveau la voix :

— J'ai pensé que c'était bien étrange, ces trois morts !

J'écoutais avec une attention profonde. Ce drame me passionnait. Je demandai :

— Vous avez dit tout cela, après la mort de la princesse ?... Tout ce que vous saviez, et ce que vous soupçonniez ?

— Tout ce que je savais, oui... Ce que je

soupçonnais... non. On m'aurait fermé la bouche, d'une façon ou d'une autre...

Un frisson secoua ses épaules.

— ... « Il » était à ce moment puissant sur le caractère un peu faible de notre prince régnant. Ah ! si c'était aujourd'hui ! Le prince Frantz est le maître et il déteste Luitpold, assure-t-on. Celui-ci n'a plus le moindre crédit ; il lui serait impossible de mener toute l'enquête, d'influencer souverain et magistrats comme il le fit alors. Comprenez-vous, mademoiselle, qu'il eut le triste courage de jeter lui-même la boue sur la mémoire de sa sœur ? J'eus beau protester, et le père Lambert avec moi, personne ne nous crut. C'est tout au plus, je crois, si on ne traita pas le père de complice, comme on le fit pour moi. Nous fûmes les seuls à la défendre. Les autres domestiques, bien payés sans doute, dirent ce qu'on voulut, et la dame d'honneur... Oh ! la misérable créature ! Quand je pense que ma pauvre princesse l'aimait ! Moi, je me défiais de son visage fermé et de ses yeux qui ne regardaient pas droit. Mais elle était souple et habile, et la princesse avait la faiblesse d'aimer la flatterie. Elle faisait sa confidente de cette Mme de Menan... Et l'abominable femme ne craignit pas de flétrir, elle aussi, la mémoire de la morte. Ah ! qu'il y a des êtres mauvais dans le monde, mademoiselle ! C'est affreux !

Elle prit son front entre ses vieilles mains tremblantes. Un long silence se fit. L'effroi me saisissait devant les profondeurs insoupçonnées — et terribles — de ce drame narré en quelques mots par Mme de Warf. Et cette vieille femme était le témoin vivant de la vérité — peut-être le seul témoin existant aujourd'hui.

Je lui demandai :

— Pourquoi ne racontez-vous pas cela au prince Frantz ?

Elle écarta ses mains, montrant ainsi son visage mouillé de larmes.

— Oh ! maintenant, il est trop tard ! On ne parle plus de cette triste histoire et le prince Frantz ne voudrait pas la réveiller. Au jour du Jugement, justice sera faite à la noble princesse qui était bien la plus droite et la plus honnête des femmes. Heureusement, l'enfant est morte, car quel aurait été son sort, pauvre petite abandonnée ? M. de Montsoreil n'avait plus de proches parents et, du côté de la princesse... hélas ! on l'aurait rejetée.

— Savez-vous si la princesse avait chez elle des papiers constatant son mariage ?

— Je l'ignore, mais c'est probable. Ceux qui l'ont tuée les auront fait disparaître. Et voyez donc, cette coïncidence de la petite église où fut célébrée cette union, détruite par le feu au moment propice !

Je murmurai pensivement :

— Oui, voilà une bien singulière série de crimes !

Cet entretien semblait avoir galvanisé la vieille femme. Elle se leva, en s'excusant beaucoup de m'avoir retenue. Appuyée à mon bras, elle marcha à petits pas, vers la sortie du parc qui se trouvait à quelque cent mètres de là. Tout en avançant, elle me parla avec émotion de sa chère maîtresse, si bonne, et du marquis de Montsoreil, très gai, tendre, éblouissant d'esprit.

— Il avait des yeux merveilleux, mademoiselle, des yeux d'un bleu comme jamais je n'en ai vu... Ou plutôt si, je l'ai revu, maintenant, ce bleu. C'est celui de vos yeux. Et ceux-ci ont le même regard si chaud, si vivant, qui charmait tant chez M. de Montsoreil.

Je souris, en répliquant :

— C'est une coïncidence singulière.

Elle murmura :

— Mais vous avez son sourire aussi !... son sourire si fin, si doux, que la princesse

Stéphanie aimait tant... Vous lui ressemblez.
Comme c'est étrange !

— Etrange, en effet, car je ne sache pas
que...

Je m'interrompis. Qu'allais-je avancer là ?
J'ignorais tout de mon origine. Qui pouvait
dire si je n'avais pas dans les veines du sang
de Montsoreil ? C'était improbable, mais
non impossible.

Puis, aussitôt, je songeai : « La pauvre
femme est bien vieille, elle ne voit sans doute
plus très bien et trouve une ressemblance là
où il n'existe peut-être qu'une vague simili-
tude de traits, de couleur des yeux. »

Une voiture de louage attendait au-dehors,
près de la petite porte. J'aidai Rosa Essler
à y monter. Puis je lui demandai :

— Cela vous ferait-il plaisir si j'allais vous
voir pour parler encore de cette pauvre princesse Stéphanie ?

Son vieux visage fatigué s'éclaira.

— Oh ! mademoiselle, je n'aurais osé vous
le demander ! Oui, ce serait une si grande
joie pour moi ! J'ai bien compris que vous
ne me preniez pas pour une menteuse,
vous... Oh ! oui, venez, je vous en prie !
Vous me paraissez si bonne, si douce... et
vous ressemblez tant à celui que ma princesse aimait !

Elle y tenait, la pauvre femme. Je lui demandai son adresse qu'elle me donna.

— J'habite, ajouta-t-elle, un petit logement au fond de la cour, avec une fille un peu faible d'esprit recueillie par la princesse Stéphanie et que j'ai recueillie chez moi après sa mort. Celle-là avait une adoration pour la princesse. Mais son témoignage, en admettant qu'elle sût quelque chose, aurait compté encore moins que le mien, vous comprenez ? D'ailleurs, à toutes les questions qu'on lui a posées, elle n'a pas répondu un mot. Mais, depuis la mort de la princesse, elle a une figure toute rigide et des yeux qui semblent regarder en dedans. Une fois par an, le jour du triste anniversaire, elle me demande, sans y manquer jamais : « A-t-on retrouvé M. de Montsoreil et la petite fille ? » Je lui réponds qu'ils sont morts. Alors, elle ne dit plus mot. En dehors de cette faiblesse d'esprit, c'est une bonne fille, bien docile.

— Eh bien ! j'irai faire connaissance avec elle. Au revoir, madame Essler.

Je revins lentement, l'esprit tout occupé de ce que je venais d'apprendre. Le mystère se dissipait un peu pour moi. Car cette vieille femme aux yeux sincères disait vrai, je l'aurais assuré. Il y avait eu crime... Mais le coupable, haut placé et tout-puissant alors, n'avait pas été inquiété — à peine soupçonné peut-être. Et c'était elle, la servante fidèle, qu'on accusait de mensonge, qu'on emprisonnait parce qu'elle s'acharnait à défendre la mémoire de sa maîtresse !

Pauvre femme ! Oui, je ferai mon possible pour aller la voir, car je trouve si beau son dévouement ! Et puis, je veux l'entendre encore me parler de la princesse Stéphanie et de M. de Montsoreil, qui me sont très sympathiques. Tandis que, d'avance, je déteste le prince Luitpold, et j'en ai peur.

En songeant à tout cela, j'avais atteint les jardins. Devant moi s'allongeait le dôme étincelant d'une serre. Je la contournai et me heurtai presque au prince Frantz qui s'entretenait avec un jardinier.

— Ah ! mademoiselle Herseng !

Sa voix était vibrante et joyeuse. Il se découvrit et me tendit la main, tandis que je faisais ma révérence.

— Vous étiez distraite ? demanda-t-il en riant.

— Un peu, oui. Veuillez m'en excuser.

Je sentais que j'étais devenue très rouge. Quelle malencontreuse rencontre c'était là !

Le jardinier s'était écarté. Le prince dit à mi-voix, d'un ton de plaisanterie que démentait l'admiration caressante de son regard :

— Savez-vous que j'ai bien envie d'ajouter au code de l'étiquette en usage ici des révérences supplémentaires, pour avoir plus souvent le plaisir de vous voir faire la vôtre ? Aucune de ces dames, élevées pour ainsi dire à la cour, n'atteint à cette souplesse gracieuse, à cette élégance incomparable.

Comme mon misérable cœur battait tout à coup ! Il suffit qu'il me regarde ainsi... Je me raidis pour répondre d'un ton tranquille :

— C'est bien étonnant, car mon savoir sur ce point est de très fraîche date. J'envie, au contraire, l'aisance de quelques-unes de ces dames, de Mme de Warf, en particulier.

Il eut un rire ironique et amusé.

— N'enviez personne, je vous en prie ! Si je n'étais engagé par ma promesse de l'autre jour, je vous dirais pourquoi... Promesse téméraire, que j'aurai de la peine à tenir. Enfin, je ferai mon possible !... Laissez-moi maintenant vous offrir quelques fleurs... Wilcker, coupez des œillets roses, et des blancs... Ceux-ci, les plus beaux.

J'essayai de protester :

— Mais c'est... ce serait dommage... Vraiment, je n'ai pas besoin...

Sans m'écouter, il désignait les fleurs au jardinier. Bientôt, j'eus entre les mains une

gerbe de ces merveilleux œillets qu'on ne
cueillait jamais que sur son ordre.

Alors, il demanda :

— Vous rentrez ?

— Oui, il est temps, je crois !

— Moi aussi.

Il se mit à marcher près de moi. Gaiement, il demanda :

— A quoi pensiez-vous donc, quand vous
avez failli me heurter ?

J'hésitai un moment avant de répondre.
Devais-je lui parler de Rosa Essler ? Pourquoi pas ? La vieille femme ne m'avait pas
demandé de garder le silence et je n'étais pas
fâchée de savoir ce qu'il pensait, lui, de tout
cela.

— J'étais encore sous l'impression de la
rencontre que je viens de faire.

— Une rencontre ? Laquelle ?

— Celle de l'ancienne femme de chambre
de la princesse Stéphanie.

— Ah ! Rosa Essler ! Oui, elle vient tous
les ans à cette date, je le sais. Les gardes m'en
ont informé. Mais je n'ai aucune raison pour
l'empêcher d'accomplir ce pèlerinage du dévouement.

Une question était sur mes lèvres et elle
s'en échappa avant que j'eusse pu réfléchir
davantage :

— Croyez-vous aux dires de cette femme ?

Ses sourcils eurent un froncement léger. Consciente aussitôt de mon audacieuse indiscrétion, je balbutiai :

— Je vous demande pardon de...

Mais les paroles s'arrêtèrent sur mes lèvres, car le regard qui se tournait vers moi n'exprimait aucun mécontentement.

— Vous n'avez pas à vous excuser, mademoiselle. Je répondrai volontiers à votre question... Mais ne prenez pas cette mine confuse, je vous en prie ! Il est vrai qu'elle vous... Allons, bon, j'allais encore manquer à ma promesse ! C'est terrible, ces promesses ! Je n'en ferai décidément plus.

Ses yeux souriaient, et ils étaient si doux, si chauds, que je sentis comme un frisson d'ivresse courir en moi. Alors, pour ne plus les voir, je penchai mon visage sur les fleurs, dont j'aspirai machinalement le parfum.

— Vous voulez savoir si je crois au mariage de la princesse Stéphanie ? Eh bien ! oui, je n'ai jamais pu conserver de doute à ce sujet. D'ailleurs, le témoignage du père Lambert, qui fut le confesseur de la défunte, et celui de cette femme de chambre dont toute la vie fut honnête et sans détour, me paraissent beaucoup plus véridiques que les

dires de Mme de Menan. Celle-ci, dont le
rôle me semble assez louche, quitta la principauté un an après l'événement. Depuis, on ne
l'a plus revue. Elle habitait Paris, prétendait
son fils, un assez mauvais sujet qui est arrivé
à faire fortune je ne sais comment. Il y a là,
j'en suis persuadé, de fort vilains dessous.

Il fit une pause et ajouta à mi-voix,
comme en se parlant à lui-même :

— Des dessous terribles.

Nous avançâmes en silence pendant un
moment. Je songeais : « Soupçonne-t-il aussi
quelqu'un ?... le même quelqu'un que Rosa ? »
La senteur poivrée des œillets me montait
aux narines, m'étourdissait un peu. Et je
trouvais délicieux ce jour voilé, cet air frais
qui répandait autour de nous le parfum des
premières fleurs d'automne et des dernières
roses.

— Rosa vous a-t-elle tout raconté ?

Il appuyait sur le mot « tout ». Je répondis :

— Oui, tout ce qu'elle sait et tout ce
qu'elle soupçonne.

— C'est étonnant. Jusqu'ici, depuis sa con-
damnation, elle avait gardé le silence.

Je lui expliquai alors comment j'avais pu
rendre service à la vieille femme et la sym-

pathie subite que je paraissais lui avoir ins-
pirée.

— Elle prétend même que j'ai les yeux et
le sourire du marquis de Montsoreil, ajoutai-je en riant.

— Je ne peux pas vous apporter mon
témoignage sur ce point, car je n'ai pas connu
M. de Montsoreil. Mais s'il en était ainsi,
je comprends trop bien ma cousine Stéphanie et je l'absous complètement.

Mon nez s'enfonça plus avant parmi les
œillets. Pendant un instant, il me parut que
mon cœur cessait de battre, sous la violence
de l'émotion. Puis un effroi m'étreignit,
l'effroi d'entendre d'autres paroles, après
celles-là, déjà trop significatives. Alors, me
raidissant, forçant ma voix au calme, je dis
sans le regarder :

— J'ai promis à cette pauvre femme d'aller
la voir. Vous n'y voyez pas d'inconvénients,
j'espère ?

— Aucun, mademoiselle, à condition que
vous ne parliez pas d'elle à Hilda. J'ai tout
laissé ignorer à ma sœur du terrible drame,
pour ne pas l'impressionner.

— Oui, je le sais. Aussi prendrai-je à ce
sujet mes précautions. Et quant à tout ce que
m'a dit... ou laissé entendre Rosa Essler, vous

pouvez être certain que jamais je n'en souf-
flerai mot à qui que ce soit.

— Oh ! j'en suis tellement persuadé, mademoiselle, que je n'ai même pas songé à vous
demander le silence là-dessus ! Je sais que
personne ne vous égale en délicatesse et en
discrétion.

Enfin, nous étions tout près du château !... Devant nous s'étendait la terrasse de
marbre rose, garnie d'orangers. Quelqu'un se
trouvait assis derrière l'un d'eux. C'était une
femme. Elle se souleva un peu, comme pour
mieux nous regarder venir. Et je frémis en
reconnaissant Mme de Griehl.

Oui, je frémis, car, tout à coup, j'eus pleine
conscience de la situation. Je rentrais de ma
promenade accompagnée du prince Frantz,
les mains pleines de fleurs cueillies pour moi.
Il n'en fallait pas tant, évidemment, pour faire
marcher les langues de la cour et de la ville.
Et alors, qu'allait-on dire ?... Mais c'était terrible !

Le prince venait de s'arrêter et me tendait
la main.

— A cet après-midi, mademoiselle. Si le
temps se maintient, nous pourrons faire une
bonne partie de tennis... Mais qu'avez-vous ?

Je le regardais inconsciemment avec an-

goisse, avec une sorte de supplication. Il répéta
en me serrant très fort la main :

— Qu'avez-vous ?

— Mais je n'ai rien... je n'ai rien du tout.

Je le saluai et m'éloignai avec plus de
précipitation que n'en comportait l'étiquette.
Je passai devant Mme de Griehl, qui feignait
d'être absorbée dans sa lecture, et je gagnai
mon appartement. Là, je jetai les fleurs sur
une table et m'assis au hasard, en appuyant
mon front contre mes mains brûlantes.

Combien de temps suis-je restée ainsi ?
Combien de temps ai-je frissonné d'effroi,
de crainte et d'une sorte de joie troublante,
plus pénible que tout ? Car je sais bien que je
ne dois pas, que je ne peux pas l'aimer... Et
je l'aime, pourtant...

Oh ! c'est fou ! Comment ai-je pu ?... Mais
non, je comprends bien maintenant que c'était
inévitable, lui m'aimant, surtout.

Car il m'aime. Ses yeux me l'ont dit trop
clairement. Et c'est terrible !... Que vais-je
faire ? Je devrais m'éloigner. Mais où aller ?
Je suis seule, sans argent, sans amis... sans
autres amis qu' « eux ».

« Soyez prudente », m'a dit le père Lambert. Mais je ne puis éviter ces rencontres,
surtout s'il les recherche. Et son regard saura
bien me parler, même quand je resterai près

d'Hilda. Ce sera une lutte de chaque jour
contre cette folie qui m'a gagnée, comme les
autres. S'il n'y avait que moi en cause, cette
lutte m'apparaîtrait plus facile. Je souffrirais
beaucoup, voilà tout... Mais s'il m'aime... s'il
veut m'obliger à l'écouter, alors je devrai
fuir, je ne sais où... le plus loin possible de
lui. Car je le devine si ardent, si tenace
dans ses volontés ! Mon Dieu, épargnez-moi
cette épreuve d'avoir à lutter contre lui !
Epargnez-moi une pareille tentation ! Et s'il
vous paraît utile de ne pas la détourner de
moi, faites que je souffre tout plutôt que d'y
succomber !

Comme ces fleurs sentent fort ! Elles me
donnent le vertige... Je vais les porter à la
chapelle. Demain, dimanche, quand « il »
assistera à la messe, il les verra au pied de
l'autel. Alors, il comprendra peut-être pourquoi je n'ai pas voulu les conserver chez
moi. Et comme je le crois bon et chevaleresque, il aura pitié de l'enfant isolée qui s'est
confiée en sa loyauté, il lui épargnera de nouvelles souffrances.

Onze heures du soir

Enfin, c'est fini ! Je puis être seule de

nouveau. Quel soulagement, après cette journée si pénible ! Car, comme un fait exprès,
le prince est resté presque constamment
aujourd'hui près de sa sœur. Puis il m'a
choisie pour sa partenaire au tennis et s'est
ensuite entretenu avec moi, pendant un long
moment, à quelques pas d'Hilda, il est vrai.
Néanmoins, j'endurais un supplice. Il me semblait que ceux qui étaient là nous regardaient
d'une manière particulière... Et quand j'ai été
m'asseoir à côté de la princesse, un peu après,
il a pris place près de moi et a bavardé avec
une gaieté, une verve éblouissante. Moi, j'avais
envie de pleurer...

Après le dîner, je me suis attachée à Hilda.
J'avais mis une robe qui ne me va pas très
bien et changé ma coiffure habituelle pour
une autre, qui me vieillit. Je ne sais pas si
je suis laide ainsi... Je ne le crois pas, car
Hilda m'a dit :

— Tiens, quelle idée avez-vous eue de
prendre cette coiffure-là, cette robe ?... Enfin, vous êtes quand même toujours charmante, chère Odile.

C'est désolant ! Je fais cependant ce que
je peux... J'ai songé sérieusement tout à
l'heure à me jeter dans un buisson d'épines,
pour me défigurer. Une sainte ferait cela...
Je ne suis pas une sainte, hélas ! Ce moyen

héroïque effraye ma faiblesse... Et cependant, mon Dieu, vous qui voyez au fond de mon cœur, vous savez que je suis prête à tout plutôt que de vous offenser.

... Je m'étais approchée de ma fenêtre pour jouir un peu de l'air frais du soir. La lune éclairait la terrasse, une silhouette masculine se promenait de long en large et la petite lueur rouge d'une cigarette brillait dans la nuit claire. C'était le prince Frantz. Il s'arrêta tout à coup, leva la tête et regarda vers mes fenêtres. Je reculai jusqu'au fond de la pièce. Mais j'avais eu le temps de voir ses beaux yeux sombres étinceler comme deux flammes ardentes en m'apercevant.

Il m'aime !... C'est effrayant et délicieux... Je ne sais plus... Et moi...

Ce frisson, cette crainte, ces délices et ces tourments, est-ce cela, l'amour ? Alors, c'est terrible, surtout quand on doit le chasser, l'anéantir.

15 septembre

Mes fleurs étaient ce matin devant l'autel. Elles parfumaient toute la chapelle. J'ai prié avec ardeur, avec une confiance éperdue. Je sais que je ne suis qu'une faible créature humaine et qu'en Dieu seul je trouverai toute la force nécessaire dans les conjonctures que je prévois.

A quelques pas devant moi, en avant de tous, le prince Frantz se tenait debout. Il inclinait un peu la tête et semblait très pensif. Son attitude était respectueuse, comme toujours. Il est croyant et défend très fermement sa religion, ainsi que j'ai pu le constater un jour. Mais il ne la pratique pas intégralement, au grand chagrin de sa sœur qui prie pour lui sans se lasser, chère Hilda !

Moi aussi, j'ai demandé à Dieu aujourd'hui que ce prince si bon, si généreux, devienne un chrétien complet... et qu'il sache toujours accomplir son devoir.

En sortant de la chapelle, dans la galerie qui la précède, il s'est tout à coup trouvé près de moi, je ne sais comment. Et il m'a dit à mi-voix, d'un ton moqueur :

— En vérité, je crois que c'est la première fois que des fleurs offertes par moi ont cette destination pieuse !

Mes joues sont devenues brûlantes. Mais j'ai réussi à répondre sans émotion apparente :

— C'est la meilleure pour elles, et la plus sûre, n'est-ce pas ?

Il ne me répondit pas et eut un léger rire

railleur en rejoignant sa sœur qui marchait en avant. A-t-il compris ? Je le crois, car il paraissait irrité. Toute la journée, il s'est montré pour moi très froid, semblant à peine s'apercevoir que j'étais là... Tant mieux ! Oh ! s'il pouvait continuer ainsi... dussé-je souffrir toujours comme ce soir, en le voyant rire si gaiement avec Mme de Warf et prendre un évident plaisir à être l'objet de cette plate adoration féminine.

20 septembre

On annonce la très prochaine arrivée du prince Luitpold. Hilda m'a confié qu'elle ne l'aimait pas du tout et que son frère le détestait. D'avance, je sais que ce sentiment sera le mien.

J'ai renoncé à mes promenades du matin, dans la crainte d'une rencontre avec le prince Frantz. Il est redevenu pour moi gai et cordial, sans paraître s'apercevoir que, devant lui, je perds maintenant tout mon naturel et que ma gaieté n'est qu'apparente. Mais il semble parfois préoccupé et très pensif. Les grandes chasses à courre qui commencent à Habenau vont le retenir souvent. A Wenseid, les chasseurs se réunissent une fois dans la semaine. Mais la princesse Hilda, à cause de sa santé qui demande des ménagements, ne paraît pas en ces circonstances. C'est la princesse Charlotte qui aide son neveu à recevoir ses hôtes dans la grande galerie de l'aile nord. Ces jours-là nous ne voyons pas le prince avant le soir, où il vient embrasser sa sœur déjà couchée et s'attarde à causer avec elle. J'ai essayé de me retirer à son entrée. Mais il m'a dit :

— Restez donc, mademoiselle. Je suis toujours heureux de vous voir près de ma sœur.

Et la princesse a ajouté en souriant :

— Le prince vous est si reconnaissant pour tout le bien que votre chère présence m'a procuré !

Reconnaissant... Oui, il l'est, je le sais, car il aime tendrement sa sœur. Mais plût au Ciel qu'il n'y eût que ce sentiment chez lui, à mon égard. Et je n'ignore pas qu'il n'en est rien.

Ses yeux me parlent sans cesse, malgré lui peut-être. Je ne puis lever la tête sans les rencontrer, si doux et si ardents à la fois... Je frissonne alors de bonheur et d'effroi... et je souffre tant !

Je me tiens le plus possible dans le sillage d'Hilda. D'ailleurs, avec ces chasses, il sera moins souvent ici. Et après, comme chaque hiver, il ira s'installer dans son appartement de la Résidence et viendra seulement passer à Wenseid deux ou trois jours dans la semaine.

Je voudrais qu'il partît très loin et qu'il m'oubliât.

En écrivant cela, mes yeux se sont remplis de larmes. Pauvres lâches créatures que nous sommes !... Moi, je ne l'oublierai jamais.

21 septembre

Le docteur Vernet a toujours son air soucieux, en me regardant. Me trouve-t-il mauvaise mine ? C'est vrai que je pâlis et je me suis aperçue hier que j'avais maigri. Mais je ne me sens pas malade. Je souffre seulement au moral. A cela, l'excellent homme ne peut rien.

M. de Ternit m'impatiente de plus en plus. Son amabilité devient presque obséquieuse. Les dames d'honneur ont des airs moitié figue, moitié raisin, que je ne m'explique pas. Certes, je les sens sourdement hostiles, je devine qu'elles me détestent, mais elles me témoignent des égards, comme si elles avaient peur de m'indisposer contre elles.

Je voudrais savoir ce que Mme de Griehl a pensé l'autre jour... ce qu'elle a raconté et ce qu'on dit, parmi ces gens qui viennent faire leur cour aux princes. Ils sont aimables pour moi, de plus en plus aimables, sauf Mme de Woechten et quelques autres, les plus sympathiques. Mais je voudrais connaître les pensées qui se cachent derrière ces sourires et ces empressements.

Ce matin, M. de Brandel nous a appris l'arrivée du prince Luitpold dans son pavillon de chasse.

Est-ce pour cela que le prince Frantz paraissait presque sombre aujourd'hui ?

22 septembre

Au déjeuner, l'un des secrétaires, le plus âgé, a fait observer :

— Le prince Frantz est bien irritable en ce moment.

M. de Brandel opina du geste. Puis il ajouta, en se servant copieusement du foie gras que lui présentait un domestique :

— Il y a des moments où tout ne va pas comme on veut dans la vie, même quand on est le prince Frantz de Drosen.

Mme de Warf dit avec un sourire ambigu :

— C'est pour cela sans doute qu'il songe

à se distraire. Car la princesse Charlotte m'a
dit ce matin que, décidément, nous aurions
ici, dans quinze jours, une grande soirée.

M. de Ternit inclina affirmativement la
tête.

— En effet, le prince m'a donné tout à
l'heure l'ordre de lancer les invitations.

Le docteur Vernet, qui mangeait en
silence, me regarda à ce moment. Pourquoi ?
Je n'en sais rien. Il devient singulier, ce
brave homme.

M. de Brandel dit gaiement :

— Ainsi donc, mesdames, préparez vos
toilettes ! Le prince aime voir un entourage
élégant.

Un sourire plissa la face maigre de M. de
Ternit.

— Oh ! personne n'ignore ses goûts !
Et l'on s'empressera de les satisfaire, naturellement... Quinze jours ! Les couturières vont
être sur les dents !

— Fort heureusement, je ne serai pas
prise au dépourvu, dit Mme de Warf. Je me
suis munie de toilettes à Paris, et j'ai ce qu'il
me faut.

— Alors, vous allez nous montrer des
merveilles ?... Et vous aussi, mademoiselle ?

Le chambellan s'adressait à moi. Je répondis brièvement :

— J'espère que la princesse Hilda me dispensera d'assister à cette soirée, car je ne suis pas du tout accoutumée à ces distractions mondaines.

— Oh ! par exemple !... Mais nous sommes bien rassurés, jamais on ne vous donnera cette autorisation. Et nous aurons l'immense plaisir de vous admirer... Vous devez danser merveilleusement !

— Vous vous trompez, monsieur. Dans la pension où j'ai fait mon éducation, on nous enseignait la danse, mais les leçons étaient rares et courtes. Par ailleurs, n'ayant jamais été dans le monde, je n'ai pas eu l'occasion de m'exercer. Ainsi, je crois que je ferais une très piètre danseuse !

— Et moi, je crois le contraire ! D'ailleurs, il vous serait facile de prendre quelques leçons de Milner, le maître à danser. C'est un incomparable professeur. Il fut celui du prince Frantz, aujourd'hui le plus merveilleux valseur que j'aie rencontré.

— Mais le prince, à cause de cela même, n'invite que les excellentes danseuses, dit Mme de Warf d'un ton satisfait.

M. de Ternit riposta galamment :

— C'est pourquoi vous avez eu souvent cet honneur, madame. Mais je suis persuadé que Mlle Herseng aussi, avec très peu de le-

çons, n'aura aucune difficulté pour contenter le prince, si difficile qu'il soit.

Je répliquai froidement :

— Ma situation de lectrice me laisse en
dehors de ces obligations auxquelles d'autres
se trouvent astreintes. Et je n'ai nulle qualité pour être invitée par le prince Frantz,
vous devez le reconnaître vous-même, monsieur.

Je le regardais en face, simplement, sans
affectation. Il me semblait que cet homme
devait lire dans mes yeux la droiture de ma
conscience, la pureté de mes intentions. Il
parut embarrassé et balbutia :

— Oh ! mademoiselle, une jolie femme a
toujours qualité...

Le docteur intervint presque brusquement :

— Mlle Herseng a bien raison de préférer
une bonne soirée tranquille à cette réunion
mondaine ! Avec cela qu'elle n'a pas bonne
mine... Il faudra que je vous donne une con-
sultation, mon enfant.

Je répondis avec un rire forcé :

— Oh ! c'est inutile, docteur. Je ne suis
pas du tout malade, je vous assure.

La conversation avait changé de terrain, à
mon grand soulagement. Je commence à détester ce M. de Ternit. Qu'est-ce qu'il
pense ?... Qu'est-ce qu'ils pensent tous ?

Que c'est pénible de me demander cela !...
et de ne pouvoir me défendre !

J'avais d'abord pensé solliciter de Hilda
l'autorisation de ne pas assister à cette soirée.
Mais j'ai réfléchi depuis. Peut-être ne vou-
drait-elle pas m'accorder cette autorisation ?
Alors, il sera plus sûr de lui dire, le jour
même, que je suis souffrante... Car je ne veux
absolument pas y assister. Je sais, par ouï-
dire, quelle est l'étiquette de ces réunions cé-
rémonieuses. Le chambellan vient inviter la
personne avec laquelle désire danser le
prince et la conduit vers celui-ci qui l'emmène, soit dans le cercle des danseurs, soit,
s'il aime mieux converser avec sa partenaire,
dans le jardin d'hiver ou dans l'une des gale-
ries. Tout le monde s'écarte devant lui, tandis que des regards d'envie suivent l'heureuse privilégiée. Il est impossible de se
soustraire à cet honneur, du moment où l'on
est choisi. Le prince retient sa danseuse
tant qu'il lui plaît, dans l'isolement que lui
procure l'étiquette !... Voilà comment cela se
passe, à une grande soirée comme celle-ci. Et
voilà pourquoi je ne veux pas y assister, à
aucun prix...

Cet après-midi, le prince Luitpold est
venu faire la visite attendue. Très grand,
large d'épaules, il a un visage massif et dur,

aux lèvres brutales. Dès l'entrée, j'ai vu son regard se poser sur moi. Et je n'ai pu me retenir de frissonner, quand la princesse Hilda m'a présentée, en rencontrant ces yeux bleu pâle, à l'expression dure et cruelle.

Il me demanda :

— Vous êtes française, mademoiselle ?

— Oui, monsieur.

Il eut un étrange sourire, qui découvrit de larges dents blanches, en disant :

— Cela se voit.

Là-dessus, il s'assit près de la princesse Charlotte et parla de choses diverses avec aisance, avec un certain esprit aussi. Il s'est montré fort aimable pour Mme de Griehl et sa nièce, qu'il connaît depuis longtemps. Mais il parut m'ignorer à peu près — heureusement. Car je ne puis m'empêcher de le considérer avec effroi, avec horreur. Si l'hypothèse de l'accident et du suicide est écartée, il ne reste que celle du crime. Et qui donc avait intérêt à le commettre ?

Je frémis en y pensant... Mais devant cet homme à la mâchoire forte, au regard trouble, j'ai songé : « Il peut être capable de cela. »

A cinq heures, le prince Frantz apparut. Sa froideur hautaine à l'égard de son parent me frappa aussitôt, non moins que la souple flatterie dont le prince Luitpold usait envers lui. Je connais la raison de son attitude. Lui aussi a ces affreux soupçons... Et même sans cela, comment sa belle nature franche et généreuse pourrait-elle avoir de la sympathie pour cet homme que l'on devine brutal, d'instincts bas et d'esprit rusé ?

Comme, près de lui, « il » m'a paru plus beau encore, plus élégant et raffiné ! Comme « son » regard est droit, profond, attirant ! Non, ces deux êtres ne sont pas de la même lignée et, physiquement même, il y a un abîme entre eux.

Le prince Luitpold n'a pas été retenu à dîner. Cela seul suffit à montrer quels sont les sentiments de son cousin à son égard. Les princesses s'en étonnent ; mais il leur est si antipathique qu'elles n'essayent pas de changer à ce sujet les idées du prince Frantz.

30 septembre

J'ai pu enfin mettre aujourd'hui à exécution mon projet de visite à Rosa Essler. Hilda m'a envoyée en automobile à Dennestadt pour lui choisir des dessins de broderie et

m'entendre avec la directrice d'un asile de
vieillards pour y faire entrer un de ses pro-
tégés. Car elle est très charitable, ma maîtresse, et ses promenades ont souvent pour
but quelque pauvre demeure, où elle laisse
en partant un peu de joie.

Après avoir fait mes courses le plus rapidement possible, je me suis fait conduire à
l'adresse indiquée par Rosa. Celle-ci occupe
un petit logement d'une minutieuse pro-
preté. Elle m'accueillit avec joie et nous parlâmes longuement, toujours de la princesse
Stéphanie. J'appris qu'au moment de sa
mort le prince Luitpold se trouvait à Dennestadt. Ce fut lui qu'on prévint d'abord. Il
accourut, fit fouiller le château et le parc et,
finalement, la pièce d'eau, où l'on trouva le
cadavre.

— Avait-il l'air ému ? demandai-je.

— Non, mademoiselle, pas du tout. Il
a été correct, voilà tout. Mais on savait bien
que c'était un homme dur, et son insensibi-
lité n'a pas étonné.

Nous parlâmes ensuite de la dame d'honneur. Rosa me confirma ce que m'avait dit
le prince Frantz. Mme de Menan, un an
après la mort de la princesse, avait quitté
la principauté où jamais elle n'était revenue.
Son fils disait qu'elle se trouvait à Paris, où

elle avait habité dans sa jeunesse. Lui, autrefois ruiné, presque taré, était maintenant très richement marié à la fille d'un industriel autrichien et occupait une situation superbe.

— Je crois qu'il y a eu là-dedans de bien vilaines manigances ! ajouta l'ancienne femme de chambre en soupirant.

A ce moment, une porte s'ouvrit, et je vis entrer une femme aux cheveux pâles, au visage doux et fermé. Rosa me la présenta : c'était Elisabeth, la pauvre fille faible d'esprit, recueillie par la princesse Stéphanie.

Deux yeux gris de lin, un peu lointains d'abord, s'arrêtèrent sur moi. Je les vis s'éclairer, devenir conscients... La jeune fille demanda d'une voix gutturale :

— Comment vous appelez-vous ?

— Mademoiselle Herseng... Odile Herseng. Elle secoua la tête, en continuant à me regarder fixement. Puis elle dit à mi-voix :

— Non, non... pas Odile... pas Herseng.

Je tressaillis en m'écriant :

— Pourquoi me dites-vous cela ?

Elle secoua de nouveau la tête, sans répondre. Rosa intervint :

— Ne faites pas attention, mademoiselle... Elisabeth, ce n'est pas poli ce que vous dites là.

Et, tout bas, elle ajouta :

— Elle a des moments comme cela où elle est très étrange. Pauvre Elisabeth, la mort de notre princesse fut un coup terrible pour elle. Pendant quinze jours, elle ne prononça pas un mot et je crus qu'elle allait devenir folle.

Les yeux gris de lin restaient fixés sur moi. Ils étaient redevenus un peu vagues. Ou plutôt, ils regardaient en dedans, comme l'avait dit très justement Rosa, à notre première rencontre.

En revenant, les singulières paroles d'Elisabeth me poursuivaient. « Non, non, pas Odile... pas Herseng. » La vérité était sortie de la bouche de cette fille, qui ne me connaissait pas, pourtant. Comment savait-elle que je n'avais pas droit à ce nom ?

Mais quelle folie de me monter l'imagination à ce sujet ! La pauvre créature est une innocente, elle a parlé au hasard, sans raison. D'ailleurs, Rosa dit que c'est son habitude.

Non, hélas ! ce n'est pas elle, pauvre Elisabeth, qui percera le mystère de mon origine !

6 octobre

La soirée a lieu après-demain. On décore les appartements de réception. De notre côté, tout est bien tranquille. La princesse a donné aux femmes de chambre les indications pour sa toilette, et puis elle n'y pense plus. Ces questions ne l'intéressent pas. Et c'est seulement pour complaire au désir de son frère qu'elle paraîtra à cette soirée.

Mais elle s'occupe beaucoup de moi. Elle me veut très belle, dit-elle. Pauvre petite amie, comme elle est peu perspicace !

Au contraire, la princesse Charlotte semble depuis quelques jours froide, gênée à mon égard. Etant de caractère aimable et bienveillant, cela lui coûte visiblement... Oh ! que croit-elle ? Qu'a-t-on pu lui dire ?

Hier, dans l'après-midi, j'étais seule avec la princesse et je lui lisais des vers de Tennyson. Ma voix n'était pas très sûre. Je savais qu' « on » m'écoutait... En effet, la porte donnant sur l'appartement du prince était ouverte à deux battants. De ma place, je voyais l'enfilade des pièces superbes : le salon aux tentures d'un vert doux, le cabinet de travail, où « il » se trouvait, assis devant son bureau, la tête appuyée sur sa main... Et quand j'ai eu fini, il s'est levé et est venu vers nous.

— Tennyson, lu par vous, est admirable, mademoiselle.

Là-dessus, il s'est assis en face de moi, tandis qu'Hilda s'écriait joyeusement :

— N'est-ce pas qu'elle dit ces vers à merveille ? Et depuis qu'elle s'entretient un peu
tous les jours avec Hobson, sa prononcia-
tion est devenue parfaite.

Il approuva de la tête. Sa main s'étendit et
prit le volume que j'avais posé sur la table.
Il le feuilleta un moment. Puis sa voix au timbre profond et chaud murmura les derniers
vers que je venais de lire :

« Oh ! que la terre ferme — Ne manque pas
sous mes pieds — Avant que ma vie n'ait
trouvé — Ce que d'autres ont eu de si doux.
— Advienne alors que pourra. — Qu'importe
si je deviens fou, — J'aurai eu mon jour. »

Hilda, inclinant sa tête sur l'épaule de son
frère, fit observer :

— Tu dis cela comme si tu le pensais.

Il sourit, sans répondre. Ses doigts cares-
sèrent les cheveux châtains qui frôlaient sa
joue. Et sous l'ombre des cils foncés, ses yeux
me regardèrent avec une expression d'ardente
prière.

Un frémissement m'agita. J'abaissai mes
paupières et pris au hasard un ouvrage près de
moi. C'était une broderie commencée par
Mme de Griehl. Mes doigts tremblants pi-
quèrent l'aiguille dans la soie... La voix s'éleva
de nouveau :

— Ta toilette est prête, Hilda ?

— Toute prête, Frantz.

— Et la vôtre, mademoiselle ?

— La mienne aussi, monsieur.

Mais le mensonge fit monter une teinte pourpre à mes joues.

— Comment sera-t-elle ?

— Toute blanche.

— Un nuage de tulle, quelque chose de simple et de délicieux, précisa Hilda. Avec cela, des roses dans les cheveux et au corsage... Et personne, certainement, ne sera aussi charmante qu'elle.

— J'en suis persuadé !

Je gardais mon visage baissé et je travaillais à cette broderie avec application. Mais je m'aperçus tout à coup que mes points s'égaraient dans les plus fantastiques directions. Alors, je me mis à les défaire bien vite, craignant à tout instant de voir apparaître Mme de Griehl. Quand j'eus fini et que je levai les yeux, je rencontrai un regard ironique, tandis que le prince disait d'un ton moqueur :

— Voilà une ardeur au travail bien inutile. Tout est à refaire, moderne Pénélope.

La princesse s'exclama :

— Mais c'est la broderie de Mme de Griehl que vous avez là, Odile !

— Oui... je me suis trompée...

Et je me levai pour prendre ma broderie

6

déposée dans la corbeille à ouvrage d'Hilda, tandis que celle-ci disait en riant :

— Voilà une distraction un peu forte, ma chère Odile. Vous n'en êtes cependant pas coutumière.

Le prince ne dit rien, mais je vis un sourire glisser sous sa moustache. Peu après, il s'éloigna, à mon grand soulagement.

Comme il m'a regardée, après avoir lu ces vers de Tennyson ! Oh ! pourquoi ? Il sait bien qu'il n'a pas le droit de m'aimer. Et il doit bien voir que je n'ai qu'un désir : échapper à son intention.

J'ai peur... j'ai tellement peur que la situation ne devienne bientôt impossible !

Ce soir, j'ai reçu une lettre qui m'a bien surprise. Une femme inconnue me supplie d'intercéder près du prince pour son fils, impliqué dans une grave affaire de braconnage. Il s'est laissé entraîner par faiblesse, dit-elle, et se trouve aujourd'hui dans un désespoir terrible... Je me demande quelle idée a eue cette pauvre créature en s'adressant à moi. Ces suppliques sont toujours envoyées directement aux princesses, qu'on sait très bonnes et charitables. En admettant qu'elle ait cru préférable d'user d'un intermédiaire, il y avait les dames d'honneur, autrement qualifiées qu'une simple lectrice étrangère, qui plus est.

Je donnerai demain cette lettre à Hilda. Elle adressera cette requête au prince... Car moi... oh ! non, je ne veux rien lui demander !

7 octobre

Hilda a paru étonnée aussi quand je lui ai parlé de cette supplique. Puis elle a dit en souriant :

— Eh bien ! cela prouve, mon amie Odile, que vous ne passez pas inaperçue et que l'on parle beaucoup de vous, à Dennestadt.

On parle beaucoup de moi... Ces mots m'ont éclairée tout à coup. J'ai compris pourquoi cette femme s'adressait à moi. Et une souffrance si profonde m'a serrée au cœur que je suis restée un instant sans pouvoir dire un mot.

Heureusement, Hilda ne s'est pas aperçue de mon émotion. Elle dit gaiement :

— Puisque la supplique vous est adressée, ma chère, c'est vous qui devez plaider près du prince la cause de cette pauvre mère.

— Oh ! Hilda, non, je vous en prie !... C'est à vous de le faire... Le prince ne pourra pas vous refuser...

— Vous croyez cela ? Mon frère sait très
bien me refuser quelque chose, je vous l'affirme. Il m'aime beaucoup, mais il est très
jaloux de son autorité et se plaît à montrer
qu'il est le maître, même à sa sœur... Tenez,
allons le trouver tout de suite ; comme cela,
vous pourrez répondre aussitôt à cette malheureuse, qui doit être dans des transes.

Elle se leva, entrouvrit la porte du salon
voisin et demanda :

— Pouvons-nous entrer, Odile et moi,
Frantz ?

— Mais certainement, petite sœur !

J'étais restée au milieu du salon, immo-
bile. Hilda me dit :

— Allons, venez donc, Odile ! Vous avez
l'air tout émotionnée, comme si vous alliez
paraître devant l'Ogre lui-même !

Il fallait bien obéir... J'entrai à sa suite. Le
prince nous attendait, debout au seuil de son
cabinet. Il embrassa Hilda qu'il n'avait pas
encore vue ce matin et me tendit la main.

— C'est charmant de venir me faire une
petite visite... Tu as bonne mine aujourd'hui,
mon Hilda... Venez par ici.

Il nous précéda dans son cabinet. Je n'avais
encore vu cette pièce que de loin. Elle est
superbe, tendue de tapisseries des Gobelins
offertes naguère par Louis XV à un prince de

Drosen et décorée avec magnificence. Trois fenêtres l'éclairent. Sur le bureau, des roses blanches admirables s'élançaient d'un vase à long col, en vermeil ciselé.

Le prince nous indiqua des sièges et s'assit devant son bureau, en nous regardant tour à tour avec un sourire.

— Vous avez quelque chose à me demander ?

— Pas moi, mais Odile... Parlez, Odile.

— Voulez-vous me permettre de vous communiquer une lettre que j'ai reçue ?

— Mais, oui, donnez, mademoiselle.

Tandis qu'il lisait, je songeais : « Oh ! s'il ne s'agissait pas du chagrin d'une pauvre mère, comme je voudrais qu'il refusât ! Ainsi, on ne pourrait pas penser que j'ai de l'influence sur lui. »

Quand il fut arrivé à la fin de la lettre, il resta un moment les yeux fixés sur la feuille. Son front paraissait comme barré d'un pli de contrariété... Puis il leva les yeux en disant :

— Je ferai mon possible, mademoiselle. Mais ce garçon est fort compromis, je crois. Il a blessé un garde-chasse et maltraité un gendarme... D'ailleurs, je prendrai des renseignements à ce sujet, car les détails de cette affaire ne me sont pas présents à l'esprit. Je ne puis donc vous donner aucune réponse précise.

Je sentais que j'aurais dû, à ce moment, implorer son indulgence, faire valoir la douleur de cette mère, affolée à l'idée que son enfant serait condamné comme un malfaiteur, lui, fils d'honnêtes gens. Et je ne dis rien.

— Nous verrons ce qu'il est possible de faire, mademoiselle. Après-demain, je vous donnerai une réponse définitive.

Et là-dessus, jetant la lettre sur son bureau d'un geste sec, il se mit à parler d'autre chose.

Cet accueil assez peu empressé fait à ma requête m'avait plutôt mise à l'aise. D'ailleurs, le prince semblait tout à coup distrait et préoccupé. Quand sa sœur se leva, il ne la retint pas.

— Vas-tu à Habenau cet après-midi? lui demanda-t-elle.

— Non, je ne crois pas. Le prince Luitpold y sera et... je trouve suffisant de le voir après-demain, puisque je n'ai pu me dispenser de l'inviter.

Tout en parlant, il choisissait deux roses dans le vase de vermeil. Il en glissa une au corsage de sa sœur et me tendit l'autre.

— Ce sont des fleurs blanches, les seules dignes de vous deux !

Ses yeux devinrent doux et graves, en me regardant... Et depuis ce moment, je me sens plus calme, comme rassurée.

8 octobre

En bas, la soirée commence, tandis que j'écris... J'ai joué aujourd'hui une petite comédie qui me coûte, car je déteste toutes les dissimulations. Mais j'y suis obligée cette fois.

Donc, je passe aujourd'hui pour très souffrante. Ma chère Hilda était désolée... Elle est venue me voir cet après-midi et est restée une heure près de mon lit. Ma mine, fatiguée depuis quelque temps, un manque d'appétit persistant l'avaient heureusement préparée à croire à cette indisposition subite. Il paraît qu'il n'en a pas été de même du prince Frantz. Quand sa sœur lui a appris, au cours du déjeuner, que j'étais trop souffrante pour paraître le soir, il a froncé les sourcils, très fort, m'a dit Hilda, puis il a murmuré :

— C'est bien joué.

Et il s'est mis à rire, au grand étonnement de sa sœur.

Oui, il sait pourquoi je n'ai pas voulu paraître à cette soirée. Et j'aime mieux qu'il le sache. J'espère qu'il a assez de cœur pour comprendre et respecter le sentiment qui me fait agir.

Des sons d'orchestre, des bruits confus de voix me parviennent des salons, dont les fe-

nêtres donnent sur l'autre extrémité de la terrasse. J'ai laissé la mienne ouverte, car, après
toute une semaine de pluie, presque froide, la
température est aujourd'hui devenue douce.
Certaine de n'être plus dérangée à cette heure,
je me suis levée, j'ai passé ma robe de chambre et je me suis mise à écrire. De temps à
autre, je m'arrête, je songe...

Je songe que là-bas, dans les salons pleins
de lumière, des groupes parés circulent, des
conversations se poursuivent, des rires discrets s'élèvent. Un homme est le point de
mire de tous les regards, de toutes les adulations. D'un coup d'œil, il choisit parmi les
invitées celle qui sera l'élue pendant quelques
instants. Et M. de Ternit la conduit vers lui...
C'est la brune comtesse de Murthal, avec ses
grands yeux d'Espagnole ; c'est Mme de
Lens, rousse et langoureuse, avec son teint si
blanc ; c'est Mme de Warf...

Et voici que je pense : « Si j'avais voulu,
j'y serais aussi... »

Oh ! mon Dieu, que vais-je regretter là ?
Pardonnez-moi cette défaillance de l'esprit !

... Je me suis approchée de ma fenêtre et,
derrière mes volets baissés, j'ai regardé sur la
terrasse. Quelques groupes s'y promenaient.
Mais l'un d'eux avançait à l'écart des autres.
Mon cœur a sauté un peu... Je savais à qui

appartenait cette haute taille souple, sur laquelle se moule si admirablement l'habit. Je devinais aussi qui était la femme vêtue de soie rose, dont les diamants étincelaient à chacun des mouvements qu'elle faisait...

Ils avançaient lentement. Mme de Warf parlait avec une certaine animation, en levant la tête vers le prince, dans cette attitude d'adoration qui m'exaspère. Lui la regardait, en paraissant l'écouter avec attention. Son rire, léger et railleur, résonna plusieurs fois. Ils s'arrêtèrent et continuèrent à bavarder... Une fraîcheur soudaine arrivait. A travers la flanelle de ma robe, je la sentais. Et je crus voir, à plusieurs reprises, frissonner les épaules nues de Mme de Warf.

Mais lui ne s'en apercevait pas sans doute. Il était trop attentif aux paroles, aux mines de cette coquette !

Ils sont enfin retournés lentement sur leurs pas. La traîne rose bruissait sur le marbre de la terrasse et les diamants brillaient dans les cheveux blonds... Quand ils ont disparu dans les salons, je me suis assise devant ma table, et j'ai pleuré, lâchement pleuré.

9 octobre

Mme de Warf garde la chambre ce matin,

car elle craint d'avoir pris froid hier soir.
Hilda me l'a appris en venant me voir avant
le déjeuner.

J'avais eu une nuit d'insomnie et de pensées
pénibles, de telle sorte que ma mine était
complétement défaite. Néanmoins, je voulus
me lever et reprendre dans l'après-midi mon
poste près d'Hilda.

Je comptais ne pas voir le prince aujour-
d'hui, car sa sœur m'avait dit qu'il passerait
l'après-midi et la soirée à Dennestadt. Mais,
vers six heures, il est apparu. Très brièvement, il me demanda :

— Comment allez-vous, mademoiselle ?

— Presque bien, je vous remercie.

— Ah ! tant mieux.

Et ce fut tout, à mon grand soulagement.

Un peu après, remarquant l'absence de
Mme de Griehl, il demanda à sa sœur où elle
était.

— Je l'ai envoyée passer un moment près
de sa nièce, qui a ce soir de la fièvre. Elle a dû
prendre froid sur la terrasse, hier soir. La température avait fraîchi tout à coup.

Il s'enfonça nonchalamment dans son fau-
teuil en répliquant :

— Je ne m'en suis pas aperçu.

Puis il parla d'un nouveau cheval qu'il ve-

nait d'acheter, et il ne fut plus question de
Mme de Warf.

Cet incident a ramené à ma pensée le souvenir de certain jour où j'avais eu très chaud
en jouant au tennis. Le vent s'éleva tout à
coup, un peu frais... Le prince Frantz, aussitôt, appela un domestique et lui donna l'ordre
d'aller chercher un vêtement. Puis il m'obli-
gea à entrer, en attendant, dans le pavillon
voisin des courts.

Et une autre fois, pendant une promenade
en auto, il s'aperçut le premier que j'avais
froid et me mit sa pelisse sur les épaules.

Oui, il est bon... trop bon pour moi.

Il ne m'a pas parlé de la suite qu'il enten-
dait donner à la démarche que la pauvre
femme avait faite en faveur de son fils, impliqué dans une affaire de braconnage. Je n'ai
pas osé lui demander... D'ailleurs, il m'a à
peine adressé la parole.

10 octobre

Mon Dieu, dois-je me réjouir pleinement ?
Je ne sais plus... Et pourtant, je suis heureuse... heureuse !

Cet après-midi, nous avions été travailler

chez la princesse Charlotte. Des soies manquant à Hilda, elle m'envoya les chercher dans le salon Louis XVI. En y entrant, je m'aperçus que la porte donnant sur l'appartement du prince était ouverte. Je m'arrêtai un moment, fort embarrassée. Que devais-je faire ?... s'il était là ?

Rien ne bougeait. D'un coup d'œil discret, je constatai que les deux pièces en enfilade paraissaient vides. Alors, je m'avançai et gagnai le petit meuble où Hilda enfermait ses ouvrages. Quand j'eus trouvé ce que je cherchais, je refermai le tiroir... Et en me détournant, j'aperçus le prince Frantz, debout au seuil du salon voisin.

Une chaleur soudaine me monta au visage. Mes jambes tremblantes me permirent à peine d'esquisser une révérence. Je fis un mouvement pour sortir de la pièce. Mais il dit d'un ton impératif :

— Non, mademoiselle, restez. J'ai à vous parler.

Il s'avança vers moi. Une douceur ironique éclairait son regard...

— Vous me fuyez, Odile ? Peine perdue ! J'arrive toujours à mes fins. Et aujourd'hui, vous allez m'écouter...

Je reculai tout contre le meuble, avec un geste de protestation et d'effroi...

— Non, monsieur, non !

Mais ma main se trouva saisie entre les siennes.

— Odile, mon Odile, pourquoi ne voulez-vous pas que je vous dise tout mon amour ?

— Taisez-vous, monsieur, je vous en supplie !... Oh ! ne me dites rien !

Mais il se penchait vers moi et ses yeux sombres avaient leur ardent éclat de flamme.

— Je veux que vous sachiez combien je vous aime, Odile, et quelle impression vous avez faite sur moi, la première fois que je vous ai vue, dans le jardin du roi, vous souvenez-vous ? Depuis, cette impression-là est devenue de l'amour, un amour si fort que rien ne pourra l'arracher de mon cœur. J'aime tout en vous, Odile : votre beauté, vos yeux merveilleux où passent tant de douceur pure et tant de vie ardente, votre intelligence, votre cœur. Et je me suis juré que vous seriez à moi.

Je tremblais des pieds à la tête. Ce regard, cette voix où frémissait tant de passion me pénétraient de trouble et de terreur, de souffrance éperdue, et d'une sorte de joie déchirante, pire que tout. Détournant les yeux, je dis d'une voix étouffée :

— Je n'aurais jamais pensé que vous auriez parlé ainsi à une pauvre fille isolée, sans appui, qui est votre hôte et qui s'est confiée à votre loyauté. Non, jamais je n'aurais pu penser...

Les mots s'étranglèrent dans ma gorge. Et je sentis que des larmes, de grosses larmes montaient à mes yeux, débordaient sous mes paupières.

— Odile, Odile, que pensez-vous ? Mais écoutez-moi ! Laissez-moi vous dire tout le respect que j'ai pour vous et comment notre union sera sans reproche. Nous la ferons bénir en secret par le père Lambert. Qu'avez-vous à objecter si je vous demande de devenir ma femme devant Dieu ?

Pendant un moment, les pensées se brouillèrent dans mon cerveau. Un bonheur immense m'étouffait. Sa femme !... Oh ! comme je l'aimais, comme je l'aimais, pour être si heureuse !

Il s'écria d'un ton de triomphe :

— Ah ! je savais bien que vous n'auriez plus rien à dire !

Mais un souffle glacé passait subitement en moi. Pendant une minute, j'avais tout oublié : sa position, à lui, et le mystère de mon origine et ma situation de femme sans nom, sans famille. Au moment où ses lèvres allaient se poser sur ma main, je la retirai d'un geste brusque.

— C'est impossible... C'est impossible ! Comment avez-vous pu songer à cela ? Oubliez-vous qui vous êtes et qui je suis ?

— Non, je ne l'oublie pas, Odile, et j'ai tout prévu. Officiellement, je resterai célibataire, et la souveraineté passera après moi à mon jeune cousin Stéphan. Tant que mon oncle vivra, nous résiderons à l'étranger, où nous serons plus libres. Je vous ferai donner un titre et...

— Mais alors... aux yeux de tous, je ne serai pas votre femme ?

— Oh ! rassurez-vous, c'est toujours un peu un secret de comédie, cela ! D'ailleurs, soyez sans crainte, si la vérité n'est pas connue officiellement, je saurai m'arranger pour qu'elle le soit en réalité. Nul plus que moi ne tient à ce qu'aucune ombre ne plane autour de vous, mon Odile à l'âme si pure, si loyale. C'est pourquoi j'aurais préféré le mariage morganatique. Mais... c'est impossible.

Je dis amèrement :

— Parce que je n'ai pas de nom ? Parce que vous ne savez même pas qui je suis ?

Il me prit de nouveau la main et je frémis de joie sous le regard de tendresse dont il m'enveloppa.

— Je sais que vous êtes la plus délicieuse des femmes, et la plus noble, moralement. Je sais que vous m'avez fait connaître l'amour vrai, celui que j'ignorais encore. Les conventions sociales, notre situation particulière nous obligent à nous écarter de la voie habituelle. Mais qu'importe ! Nous cacherons notre bonheur, voilà tout.

Je murmurai pensivement :

— Un mariage secret... Vous voyez ce qu'on a dit pour la princesse Stéphanie... et il me semble que ces unions ne peuvent être heureuses...

— Pourquoi donc ? Quelle idée avez-vous là, Odile chérie ?

— Une idée, oui... Et puis, passer pour n'être pas mariée, aux yeux du monde, ce n'est pas bien. Ne serions-nous pas un objet de scandale, pour ceux qui ne savent pas ?

— Mais ils sauront ! Cela, je vous le promets. J'y tiens autant que vous, soyez-en persuadée... Voyons, Odile, si vous n'avez que ces objections à m'opposer, dites-moi oui bien vite... et laissez-moi vous donner mon baiser de fiançailles.

Il m'attirait doucement à lui... Mais je m'écartai avec vivacité.

— Non, non... Il faut que je réfléchisse. C'est toute ma vie que j'engagerais... et dans des circonstances si particulières, comme vous dites...

— Réfléchir ?... Réfléchir à quoi ? Vous m'aimez, je vous aime. Et vous n'avez pas d'autres amis qu'Hilda et moi. Où iriez-vous, si vous nous quittiez ? Tandis que je vous offre un foyer, une tendresse forte et fidèle, qui vous protégera toujours.

Oui, il avait raison. Si je refusais de devenir sa femme, je devrais quitter cette demeure et m'en aller pauvre, isolée, exposée à tous les périls, errer à travers le monde pour gagner ma vie. Et toujours je porterais en mon cœur une inconsolable souffrance : celle de l'amour que j'aurais ainsi brisé.

Penché vers moi, il me redisait comme il m'aimait, il calmait mes appréhensions avec des mots de tendresse, il me persuadait par sa parole et son regard, un beau regard ardent qui m'éblouissait.

— Je voudrais consulter le père Lambert, avant de vous répondre, murmurai-je.

— Soit, si vous le désirez. Mais je puis vous donner d'avance sa réponse. Le père Lambert me connaît, il sait que je vais jusqu'au bout de mes volontés, à moins que je n'y reconnaisse ou que l'on m'y montre clairement une faute. Tel n'étant pas le cas ici, il vous dira : « Mon enfant, le prince Frantz ne renoncera jamais à vous, et, fort de ses intentions honnêtes, il saura vous découvrir partout où vous irez pour le fuir. Ainsi donc, bien qu'il soit plein de défauts, acceptez de devenir sa femme, car il sera un époux fidèle et bon pour celle qu'il aura ainsi choisie. »

Je ne pus m'empêcher de sourire. Il ajouta :

— Le bon père taxera ma résolution de folie. Et puis, au fond, il m'approuvera de préférer le bonheur conjugal très haut et très pur, tel que vous me le donnerez, à l'un quelconque de ces mariages arrangés par la raison d'Etat. De ceux-là, il y a des natures qui peuvent s'accommoder. J'avoue que je ne suis pas ainsi. Il me faut une épouse qui me comprenne en toutes choses et que j'aime... comme vous.

— Mais songez donc à cette obscurité qui m'entoure : de qui suis-je la fille ? Quelles révélations peuvent vous être apportées un jour sur ma famille ?

— J'ai réfléchi à tout cela, Odile. Et voici ce que je me suis dit : on m'engageait fort, dans ma famille, à épouser la duchesse Hélène de R... Or, son aïeul fut célèbre par sa vie de scandale, il frappa mortellement un de ses familiers dans un moment de fureur provoqué par la boisson ; sa mère, divorcée, mène en France on ne sait quelle existence et use, pour vivre, d'expédients qui amènent beaucoup d'autres sur les bancs des cours d'assises. En outre, une tare physique grave se transmet dans cette famille. En dépit de tout cela, et simplement parce que la duchesse est fort jolie, très élégante et de même rang que moi, on m'aurait poussé à ce mariage, si j'étais homme à me laisser faire. Eh bien ! en admettant que quelque chose de désagréable se découvre au sujet de votre famille, chère Odile, j'imagine que ce passé sera difficilement moins honorable que celui de la famille ducale de R... Vous m'objecterez encore que votre origine peut être modeste. Cela n'est rien. Je ne vous en aimerai pas moins, soyez-en certaine. Mais je vous crois au contraire d'ascendance élevée, figurez-vous, Odile. Vous êtes si fine, si admirablement douée au point de vue moral, trop délicate et trop vertueuse pour n'être pas la fille d'honnêtes gens.

— Ces considérations trompent parfois.

— Oui, mais rarement... Enfin, je vous le répète, j'ai réfléchi et, tout pesé, je ne trouve pas d'obstacles sérieux à notre mariage. Notre petite principauté n'exige pas que je me sacrifie au mariage dicté par la raison d'Etat, heureusement. Vous pouvez donc accepter sans crainte l'union que je vous propose. Près de vous, je ne regretterai rien.

Je murmurai :

— C'est de cela que j'ai peur !

— Vous avez peur que je regrette un jour ?
Ah ! Odile, Odile, si vous pouviez comprendre comme je vous aime ! Voyez-vous, c'est cet
amour-là, fort et tendre, qui résiste aux années, aux épreuves, à tout. Vous me considérez
peut-être comme un être frivole, fantasque,
sans profondeur. Mais je puis être autre
chose.

— Oh ! je le sais !... Je sais combien vous
êtes bon et droit !

— Et combien le serais-je davantage près
de vous ! Je ne crains pas de vous dire, ma
bien-aimée, que votre pouvoir sera grand sur
moi. Devant vous seule, mon orgueil d'homme
capitulera, car à l'amour que vous m'inspirez,
je joins l'estime et la confiance entière pour la
jeune fille vertueuse, infiniment délicate que
vous êtes... Maintenant, Odile, voulez-vous
me dire si vous acceptez de devenir ma
femme ?

La profonde loyauté, l'ardente et grave tendresse de ce regard me subjuguaient. Toutes
mes objections s'évanouissaient devant la parole décidée, la résolution très ferme du
prince. Je répondis :

— Oui, j'accepte.

Il me prit les mains, m'attira à lui et me mit
sur le front un long baiser. Pendant un moment, nous restâmes silencieux, nous considé-

rant dans une merveilleuse extase. La sonnerie d'une pendule me fit tressaillir.

— Oh ! il faut que je retourne près d'Hilda ! Elle doit se demander ce que je deviens.

Je retirai mes mains des siennes. Puis il me dit :

— Je vais chez le père Lambert, afin d'organiser tout avec lui pour que notre mariage puisse être célébré dans trois ou quatre jours. Puis j'informerai ma tante et Hilda.

— Que vont-elles dire ?... Et le prince régnant ?

— A lui, j'apprendrai notre mariage seulement dans quelque temps. Il sera mécontent d'abord, puis tout s'arrangera très bien, je vous l'affirme. Ma tante me fera quelques objections, mais comme elle est fort sentimentale et romanesque, elle conviendra très vite que j'ai raison. Quant à Hilda, elle sera heureuse, sans arrière-pensée, car vous êtes vraiment une de ses chères affections... Allons, ne vous inquiétez de rien, ma chérie. Ayez confiance en moi qui saurai vous aplanir toutes les difficultés. A bientôt, près d'Hilda, n'est-ce pas ? Et nous conviendrons de la meilleure manière de nous voir quelques instants seuls, ou sans autres témoins que ma tante ou ma sœur, pendant ces quelques jours de fiançailles.

Et il ajouta :

— Je suis maintenant Frantz pour vous quand nous serons seuls, mon Odile.

Puis il se pencha et me baisa les mains. Je m'éloignai et gagnai la porte. Au moment où j'y atteignais, il se trouva près de moi.

— J'oubliais de vous donner la réponse au sujet de la lettre que vous m'avez communiquée. J'ai fait le nécessaire et cette femme a été prévenue par mes soins que le cas de son fils sera considéré avec indulgence.

— Oh ! je vous remercie ! C'est vrai, je ne pensais pas à vous en parler !

Il parut hésiter un moment, puis se pencha vers moi :

— Vous avez été contrariée à ce sujet, Odile, je l'ai compris. C'est ma faute. J'aurais dû réfléchir que mon attention à votre égard, si respectueuse qu'elle fût, ne passerait pas inaperçue et que tous ces malveillants bavards qui nous entourent s'empresseraient d'en tirer des conclusions stupides. Je vous demande pardon de mon imprudence. Mais bientôt, je vous le promets, toute ombre aura disparu. On saura que si je vous aime, j'en ai le droit et le devoir.

— Oh ! oui, je vous en prie !... car cela me serait si pénible que l'on doutât !

Il répéta en me prenant les mains et en les serrant fortement :

— Je vous demande pardon. Vous avez souffert à cause de mon irréflexion, une irréflexion d'homme accoutumé à agir d'après sa fantaisie, sans souci de son entourage. Mais ici, il s'agissait de quelque chose d'infiniment précieux : votre réputation. Ma chère Odile, comptez sur moi pour confondre ces êtres qui n'ont pas de meilleur plaisir que d'attaquer, sans preuve, l'honneur d'autrui.

— Merci... Je vous crois, j'ai confiance en vous, Frantz...

Comme il me paraissait étrange et doux de l'appeler ainsi !

Il murmura, avec un regard plein d'amour :

— C'est délicieux d'entendre mon nom dit par vous !

Et puis je m'échappai vite. Dans le très court trajet, j'essayai de composer mon visage, de lui enlever cette expression de joie rayonnante que, certainement, il devait avoir. En entrant, je pris les devants :

— Je me suis un peu retardée, je vous demande pardon !...

— Oh ! cela n'a pas d'importance, ma chère Odile. J'ai encore de la soie pour un moment... Avez-vous trouvé cette verte que je désirais ?

— Mais oui, la voici...

Et je repris ma place près d'Hilda. Mais je m'aperçus que Mme de Warf me regardait avec attention. Malgré tous mes efforts, aurais-je donc quelque chose d'inaccoutumé sur la physionomie ? Il est vrai que j'étais si, si émue encore, et tant de joie s'agitait en moi !

Il fallut encore me surveiller, quand le prince arriva à l'heure du thé. Il me parla peu ; mais lorsque son regard rencontrait le mien, il s'éclairait de joie profonde. Et je me répétais avec ivresse : « Il est mon fiancé. »

Ce soir, j'ai mis ma robe grise qu'il aime, et repris la coiffure qu'il préfère. Maintenant, je puis être coquette pour lui... Il s'est aperçu aussitôt du changement car, dès son entrée dans le salon, j'ai vu qu'il souriait discrètement, avec un peu de malice, en me regardant.

Maintenant, remontée chez moi, je réfléchis... Et je me demande si j'ai eu raison de consentir si vite. J'aurais peut-être dû attendre, consulter le père Lambert... C'était plus raisonnable. Et pourtant, je ne regrette pas d'avoir dit oui...

Je suis si heureuse !

11 octobre

J'ai vu ce matin le père Lambert. Il m'a dit en effet presque exactement ce que le prince avait prévu.

— Le prince fait une folie. Mais il l'a si bien considérée sous ses faces que je ne puis y voir un caprice. Il vous aime vraiment, sérieusement, mon enfant. Je crois que vous pourrez être heureuse, car le prince Frantz, près d'une femme intelligente et chrétienne comme vous, peut et doit développer les belles qualités qui sont en lui et devenir un homme remarquable.

— Est-il vraiment sérieux, mon père ? Il paraît bien mondain, parfois, et il est si admiré, si adulé...

— Je ne puis vous dire, ma chère enfant, qu'il ait toujours été irréprochable. Mais ce que je sais, c'est qu'il a su éviter de trop graves écarts, et qu'il n'est aucunement un viveur. Je le crois capable de faire un mari sérieux et fidèle, surtout près de vous qui saurez le comprendre, le conseiller avec tact et qui l'aimerez beaucoup, naturellement, mais non pas en idole comme le feraient tant d'autres pour lesquelles le charme extérieur seul existe. Vous, vous songerez à l'âme, à l'âme très belle et très vibrante qu'une éducation mal comprise n'a pu, grâce à Dieu, gâter complètement.

Il fit une pause et ajouta :

— Si vous étiez de même rang que lui, je verrais avec joie cette union. Mais ici... la situation sera délicate et vous fera souffrir tous deux.

— Mon père, ai-je eu tort d'accepter ?

— Non, mon enfant. Je connais assez bien le prince, voyez-vous. Du moment où il vous offre un amour légitime et où il sait que vous l'aimez, il ne renoncera jamais à vous. D'autre part, obligée de quitter la princesse Hilda, où iriez-vous ? Que feriez-vous, seule et sans protection ? Non, vraiment, je ne puis dire que vous avez tort. Mais il vous faudra beaucoup de tact et de force d'âme pour supporter les petites épines de cette situation. Je veux bien que le prince, très soucieux de votre honneur, saura faire connaître, non officiellement, la vérité. Il n'en restera pas moins que votre existence sera en marge de celle de votre mari, beaucoup plus encore que dans une union morganatique, où déjà la position est parfois pénible pour l'un ou pour l'autre des époux.

— Oh ! mon père, j'ai peur qu'il n'ait des regrets, un jour !

— Des regrets... oui, en un certain sens.

C'est-à-dire qu'il ne regrettera jamais, probablement, de vous avoir épousée, car je crois que vous saurez vous conserver son attachement. Mais il ressentira les inconvénients inséparables de cette situation et il en souffrira parfois. C'est alors que vous devrez user de ce tact donc je vous parlais tout à l'heure, en y joignant une très forte affection.

Un coup bref frappé à la porte l'interrompit. Il alla ouvrir. C'était le prince !

Je me levai vivement. Il entra, serra la main du chapelain et vint baiser la mienne. Puis il se tourna vers le prêtre :

— Pardon de vous déranger ainsi, mon père. Mais je pensais bien que Mlle Herseng avait dû venir vous trouver après la messe, et je voulais que votre bénédiction consacre nos fiançailles.

— Alors, le prince est décidé ?

— Oh ! complètement décidé, mon père !

— Et vous aussi, mademoiselle ?

Le regard tendre et profond du prince s'attachait sur moi. Je répondis sans hésiter :

— Moi aussi, mon père.

Le chapelain soupira. Sa main s'étendit et traça une croix sur le front incliné du prince puis sur le mien.

— Que Dieu vous ait en sa garde ! Vous êtes tous deux de nobles cœurs, et si vous n'étiez séparés par tant de distance sociale, c'est avec une joie parfaite que je verrais votre union.

Le prince lui présenta alors une bague qu'il bénit. Mon fiancé la passa à mon doigt. J'eus un coup d'œil admiratif pour la perle merveilleuse entourée de diamants. Puis je murmurai :

— Je ne pourrai pas la porter.

— Si, bientôt, mon Odile, je vous le promets. Bientôt, nul n'ignorera notre mariage... Ainsi, mon père, tout s'arrangera comme nous l'avons convenu hier soir ? Dans quatre jours, vous nous donnerez la bénédiction nuptiale.

— Tout sera fait selon votre désir. Les témoins ?...

— ... Seront le comte de Schild pour Mlle Herseng et M. de Brandel pour moi.

Puis le prince se rapprocha du vieux prêtre et, lui mettant la main sur l'épaule, se pencha vers lui :

— Maintenant, mon père, vous allez m'avouer que j'ai raison de faire ce mariage.

Il souriait en regardant le père avec cette grâce charmante qui le rend irrésistible.

— ... Oui, dites-moi que j'ai raison de préférer le bonheur conjugal à quelque union de convenance ?

Le bon père Lambert, un moment, parut

embarrassé. Puis il sourit aussi en répondant :

— Je ne puis que féliciter celui qui aura pour épouse la vraie chrétienne, la jeune fille bonne et charmante que voici.

Là-dessus, nous prîmes congé de lui. Dans le corridor qui desservait son appartement, le prince me dit à voix basse :

— Voulez-vous aller faire un tour du côté de l'étang des Cerfs, chère Odile ? Je vous y rejoindrai à cheval, et nous pourrons parler là en paix, car ce lieu n'est pas fréquenté.

Je murmurai avec embarras :

— C'est que... je ne sais pas si je dois...

— Ah ! c'est vrai, en France, on ne laisse pas les fiancés se promener seuls. Mais ici, c'est différent, Odile... Et je voudrais vous voir très, très confiante en mon grand respect pour vous.

Il m'avait pris la main et m'enveloppait de son beau regard loyal. Je répondis aussitôt :

— Oui, je vous attendrai là-bas, Frantz.

Quelle heure délicieuse nous avons passée près de cet étang, tout éclairé par le soleil d'automne et entouré d'arbres au feuillage roux ou pourpre ! Nous avons fait des projets d'avenir et il m'a dit encore comme il m'aimait, mais de façon si délicate que je n'ai pas eu un moment de gêne. Puis il est remonté à che-

val pour continuer sa promenade et je suis revenue à pied vers le château.

Il m'avait prévenue que sa tante et sa sœur
étaient au courant de nos fiançailles. A peine
étais-je rentrée qu'Hilda me fit demander. Elle
me tendit les bras dès mon entrée, et je compris aussitôt qu'elle, du moins, se réjouissait
sans arrière-pensée.

— Ma chère Odile, vous serez bientôt ma
sœur ! Oh ! que je suis heureuse !

— Vous approuvez cela, Hilda ? Vous ne
trouvez pas que c'est un peu... fou ?

— Oui ?... peut-être. Mais je comprends si
bien qu'il vous aime au point de faire pour
vous tous les sacrifices ! Vous êtes si jolie, si
charmeuse, si bonne aussi ! Et vous rendrez
tellement heureux mon cher Frantz !

La princesse Charlotte s'est réservée davantage. Je l'ai sentie partagée entre deux
sentiments. Le prince me l'avait dit, d'ailleurs : « Elle vous trouve charmante, elle
comprend très bien que je sois amoureux de
vous, mais il lui faut s'habituer à cette idée de
mariage secret. » En un mot, elle désapprouve
son neveu, ce qui est très naturel. Et quoi
qu'en dise Frantz, je crains un conflit à ce
sujet, entre le prince régnant et lui. Il me paraît un peu trop sûr de son pouvoir sur son
oncle, mon beau fiancé !

Après le déjeuner, Hilda s'est arrangée pour qu'on éloigne Mme de Griehl, et j'ai pu causer encore avec Frantz, tandis que la princesse s'absorbait discrètement dans son travail, à l'autre bout de la pièce.

Et puis, pour le reste de la journée, nous sommes redevenus le prince héritier et Mlle Herseng, la très humble lectrice de la princesse Hilda.

Est-ce possible que je sois vraiment sa fiancée ?... à lui, le plus séduisant, le plus chevaleresque des princes ? Je me sens emportée comme en un rêve... Et cependant, c'est vrai. Ce soir, j'ai mis sa bague à mon doigt, la bague bénie par le père Lambert et qui est le signe tangible de notre engagement. Dans quatre jours, je serai sa femme...

C'est invraisemblable. Et cependant, je n'en puis douter.

Mon Dieu, faites qu'en ce court laps de temps je me prépare aux devoirs si graves qui vont être les miens désormais ! Et faites que je l'aime chrétiennement, pour le plus grand bien de son âme.

13 octobre

Ces quelques jours de fiançailles seront

inoubliables pour moi. « Il » sait mettre une infinie délicatesse dans l'expression de son amour pour ne m'effaroucher jamais. Dans nos intimes causeries, nous nous découvrons mutuellement notre âme. La sienne est ardente et noble. C'est un terrain magnifique qui ne demande qu'à être cultivé. Le père Lambert, que j'ai vu ce matin, m'a dit :

— Ce sera votre œuvre. Le monde, les sottes idolâtries féminines, les flatteries des courtisans ont étouffé, mais non flétri, grâce à Dieu, ses belles qualités morales qui revivront sous votre influence.

Quand je suis seule avec lui, je mets ma chère bague de fiançailles. Aujourd'hui, il m'a dit :

— Je voudrais vous offrir d'autres bijoux. Mais dites-moi votre goût, ma chérie.

— Mon goût, c'est le vôtre, Frantz. Et je ne me parerai que pour vous. Ainsi donc, choisissez à votre idée.

Il me baisa les cheveux en murmurant :

— Oui, pour moi, rien que pour moi, mon cher amour.

Et la douceur ardente de ses yeux m'enveloppa, me fit frémir de bonheur.

Je crois qu'il m'est impossible de dissimuler complètement ma joie secrète, car Mme de Griehl et sa nièce m'observent avec une in-

quiète malveillance. Le docteur Vernet paraît
de plus en plus soucieux. L'obséquiosité de
M. de Ternit augmente. Quant à M. de Brandel, il doit être prévenu par le prince et me
salue avec un respect plus accentué.

La princesse Charlotte m'a embrassée aujourd'hui en me disant :

— Ah ! quelle folie fait Frantz pour ces
beaux yeux-là ! Comme il faudra que vous le
rendiez heureux en échange, chère enfant !

Heureux ! S'il ne dépend que de moi, il le
sera, mon bien-aimé !

14 octobre

Ce matin, longue, délicieuse causerie près
de l'étang. C'est notre dernier jour de fiançailles. Demain, je serai sa femme.

Sa femme ! Je crois toujours rêver.

Il m'a rappelé notre première rencontre au
jardin du Roi. Il paraît que j'avais fait sur lui
une impression très vive, telle qu'il n'en avait
jamais ressentie.

— J'étais très décidé à vous revoir, Odile.
Et d'abord, j'ai voulu savoir qui vous étiez.
Mon vieux valet de chambre si discret et dé-
voué y est parvenu assez facilement. Puis ar-

rive cette annonce de journal, qui m'a donné
un prétexte pour...

Je l'interrompis vivement :

— Ah ! Mme Herseng avait raison !

— Raison pourquoi ?

— Elle me disait que vous m'aviez remarquée et que vous cherchiez un moyen de me
faire plus facilement la cour.

— Oui, Odile, c'est vrai. Je veux être franc
avec vous. Mais votre dignité, la clarté pure
de vos yeux, la délicatesse d'âme que j'ai aussitôt reconnue chez vous m'ont imposé le silence. Si, parfois, je vous ai laissé voir, par
mon regard, par une parole, quelque chose de
mon amour, c'est qu'à certaines heures cet
amour, chaque jour plus profond, m'empor-
tait, m'éblouissait. Et voyant que vous m'ai-
miez aussi, j'ai cherché le moyen — le seul
moyen possible — d'atteindre à ce bonheur
passionnément désiré !

Sur l'herbe, à nos pieds, je traçais des lettres imaginaires avec la cravache que, tout à
l'heure, j'avais prise des mains du prince pour
en admirer le manche artistique. Et je songeai tout haut :

— La fausse Mme Herseng avait bien vu
le péril. J'ai agi, je le reconnais maintenant,
en véritable enfant. Mais je n'avais pas confiance en elle... et puis, je la voyais si étrange,

je sentais si bien que la raison donnée par elle n'était pas la vraie, que je n'ai plus eu qu'un désir : accepter cette situation dont elle semblait avoir peur.

Le prince dit, pensivement :

— Oui, il y a eu là quelque chose de bien singulier. J'ai remarqué comme vous l'effet que mon nom a produit sur elle, et comment, après cela, elle a opposé son refus. Sur le moment, ces nuances ne m'avaient pas frappé. Je m'en suis souvenu plus tard. Ce n'est pas à cause de moi, personnellement, qu'elle voulait vous empêcher d'accepter : c'est à cause de mon nom.

— Voilà aussi l'impression que j'aie eue. Mais quels rapports peuvent exister ?...

— Je me suis en vain creusé l'esprit pour le découvrir. Il faudrait trouver cette femme. Mais jusqu'ici, rien, pas un indice... On m'a parlé hier d'un détective autrichien remarquable. J'ai téléphoné aussitôt pour qu'il vienne me trouver. Celui-là sera peut-être plus heureux que les autres.

Je dis à mi-voix :

— Je voudrais savoir... et j'ai peur.

— Non, n'ayez pas peur, ma chérie ! J'ai l'intime conviction, voyez-vous, qu'aucun déshonneur ne plane sur votre origine. Et, de toute façon, vous demeurerez mon Odile très chère, plus chère que tout.

— J'ai confiance en vous, Frantz, car si un jour vous deviez ne plus m'aimer, ce serait trop affreux !

Que me dit-il alors ? Je ne me souviens plus bien... Mais c'était bon et doux ! Comme il m'aime, mon Frantz !... et comme je l'aime !

L'heure était avancée quand nous quittâmes l'étang. Pendant un instant, il marcha près de moi, sous la voûte verte d'une allée, en tenant son cheval par la bride. Je m'appuyais à son bras et nous avancions en silence, recueillis dans notre bonheur... Mais il fallut nous quitter enfin. Et tandis qu'il me précédait à cheval, je revins seule vers le château.

Dans les jardins, au tournant d'une allée, je rencontrai le docteur Vernet qui faisait sa promenade du matin. Je m'arrêtai et lui tendis la main qu'il retint en attachant sur moi son bon regard investigateur.

— Vous avez meilleure mine depuis quelques jours, mon enfant. J'en suis enchanté... Un moment, j'ai craint que vous ne tourniez à l'anémie.

Je ris gaiement :

— Le danger est conjuré, cher docteur. Je me sens tout à fait bien portante.

— Ah ! tant mieux, tant mieux !

Il paraissait embarrassé. Enfin, il dit d'un ton hésitant :

— Je souhaiterais vous parler, chère mademoiselle. Peut-être vais-je vous paraître indiscret. Mais je suis presque un vieillard, j'ai beaucoup d'expérience et... je crois de mon devoir de prévenir contre certains périls une enfant comme vous, si sympathique, si droite, mais trop jeune encore pour discerner les pièges de la vie... Je crains que... que le prince Frantz ne vous montre trop son admiration. On s'est aperçu de l'attention qu'il vous accordait. Et, comme toujours, on a grossi les faits, amplifié et imaginé. Je suis bien certain, quant à moi, que vous n'avez rien à vous reprocher. Mais j'ai cru devoir vous prévenir... afin que vous vous teniez sur vos gardes pour ne donner prétexte à aucun racontar.

J'étais devenue pourpre. Ainsi, c'était vrai ! Tous ces gens curieux et mauvais s'étaient empressés de se jeter sur ma réputation pour la mettre en pièces.

— Je vous remercie, docteur, de votre sympathie. Mais le prince se chargera de faire taire les malveillants. Désormais, l'honneur de sa femme sera entre ses mains.

Le docteur me regarda d'un air ahuri :

— Sa femme ?

— Aujourd'hui, à minuit, le père Lambert bénira notre union.

— Ah ! par exemple !... Ah ! par exemple !

L'excellent homme paraissait absolument interloqué.

— Je vous fais cette confidence, cher docteur, avec la certitude que le prince m'y aurait autorisée, car il vous a en très grande estime. Mais vous n'en parlerez naturellement à personne, car il se réserve de faire connaître cette union secrète dès qu'il en aura instruit son oncle.

— Oh ! naturellement, je serai muet !... Mais c'est tellement inattendu !... J'en suis bien heureux pour vous, mademoiselle... bien heureux ! J'avais deviné que le prince Frantz vous aimait passionnément, et je craignais que vous ne soyez obligée de vous éloigner, de souffrir beaucoup... Mais le prince a su tout concilier. Ah ! mon enfant, vous serez heureuse, je le crois !

Il semblait soulagé et tout ravi, l'excellent homme. J'ai compris qu'il avait été bien inquiet pour moi. Alors, dans l'intention de le remercier de sa sympathie, je l'ai invité à assister cette nuit à notre mariage. J'étais bien certaine que le prince n'en serait pas mécontent. En effet, quand je le lui ai appris, cet après-midi, il m'a dit :

— Vous avez bien fait. Vernet, par son dévouement, a droit à cette faveur.

15 octobre

A minuit, dans la chapelle du château, j'ai
été unie au prince Frantz de Drosen. Les
princesses Charlotte et Hilda étaient là, ainsi
que le docteur Vernet et les témoins, M. de
Brandel et le comte de Schild, maréchal de
cour, un vieillard que Frantz a en très profonde affection. En outre, le prince avait
voulu que son premier valet de chambre, ma
femme de chambre et quelques anciens et dévoués serviteurs assistassent à la cérémonie.
Il a tenu à bien m'assurer ainsi que notre
union n'aurait pas les suites de celle de la
pauvre princesse Stéphanie et du marquis de
Montsoreil.

J'avais, sur ma robe blanche et dans mes
cheveux voilés de tulle, des touffes de myrte
et de lis. La chapelle était illuminée et garnie
de fleurs. Le prince s'était ingénié à enlever
à cette cérémonie nocturne et secrète le caractère clandestin qui aurait pu m'attrister. A
un moment, cependant, le souvenir de la princesse Stéphanie est venu me troubler. J'ai

frissonné un peu... Et puis, en tournant la tête, je l'ai vu agenouillé prés de moi, mon cher Frantz, avec une expression de fermeté grave sur sa physionomie. Et j'ai pensé : « Il saura me protéger, lui, si fort et si bon. »

J'ai prononcé sans hésiter le mot qui me liait à lui. Et j'ai demandé à Dieu, une fois de plus, de me faire devenir l'épouse chrétienne dont il a besoin.

Et puis, dans la sacristie, les princesses m'embrassèrent, Hilda tremblante d'émotion, pauvre chérie, et la princesse Charlotte complètement retournée. Le docteur et les témoins, puis les vieux serviteurs me baisèrent la main. Et le long des corridors déserts, où, devant nous, s'allumait à mesure l'électricité, Frantz m'emmena vers mon appartement.

23 octobre

Aujourd'hui seulement, depuis huit jours, je puis trouver un moment pour écrire. Frantz est à Habenau et rentrera très tard. C'est la première fois qu'il s'y rend depuis notre mariage. Le prince régnant, qui est venu ici hier, s'est étonné de ne pas l'avoir vu la semaine. C'est pourquoi il y est allé aujourd'hui.

En l'attendant, je vais donc noter sur mon petit cahier les incidents de ces quelques jours. Les incidents ? Il n'y en a guère. En apparence, pour ceux qui ne savent pas encore, ma vie est la même. Je suis toujours la lectrice de la princesse Hilda... Ah ! si, cependant, quelque chose a dû faire événement ! Je déjeune maintenant avec le prince Frantz et les princesses. Je me demande ce qu'on en pense dans le clan de la cour. Bientôt, on sera au courant de la vérité. Le comte de Schild et M. de Brandel ont reçu l'ordre de la laisser pressentir habilement, dès que le prince régnant la connaîtra.

J'ai changé d'appartement. Celui que j'occupe maintenant a une communication secrète avec l'appartement de Frantz. C'était là que logeait M. de Montsoreil, pendant ses courts séjours à Wenseid. Bien qu'il soit extrêmement bien aménagé, mon mari veut le faire transformer complètement pour moi, pendant le séjour que nous ferons en France au printemps.

Chaque matin, quand Frantz a dépouillé son courrier et indiqué à ses secrétaires les réponses à faire, je descends dans son cabinet et je travaille près de lui pendant qu'il parcourt les journaux. Il lit tout haut ce qui peut m'intéresser. Puis nous échangeons nos idées.

Maintenant que je peux lui parler plus intimement, je remarque mieux la fermeté de son jugement et je constate avec joie que le fond sérieux reparaît vite chez lui.

Ses fréquents séjours à Paris, un peu d'atavisme peut-être, puisqu'il compte dans ses aïeules deux princesses françaises, ont contribué à lui donner une grande vivacité d'esprit. La repartie, le goût du tact, de la mesure, de l'élégance, ne lui sont pas étrangers. Je lui ai dit hier :

— Frantz, vous avez une âme de latin.

Il m'a répondu :

— J'aime beaucoup les Français et la culture française a fait mes délices dès mon enfance. J'avais pour précepteur un excellent homme, un Parisien, fort érudit, qui m'initiait aux œuvres de vos écrivains, et mes fréquents voyages en France ont achevé ma formation latine, comme vous dites.

Là-dessus, il m'a embrassée en ajoutant :

— Nous nous comprendrons mieux ainsi.

Comme il m'aime, mon cher Frantz ! Et comme, déjà, je me sens pour lui une conseillère, une confidente ! Parfois, je ne puis me défendre d'un peu d'orgueil en le voyant, lui, si jaloux de son autorité, abdiquer près de moi sa volonté de maître. Mais les sentiments chrétiens reprennent le dessus, et je songe avec un peu d'effroi aux responsabilités que me crée cette influence même.

Ma chère Hilda est toujours dans la joie. La princesse Charlotte est très affectueuse, elle veut que je l'appelle « ma tante », dans l'intimité... Je crains que tout ne se passe pas aussi facilement avec l'oncle de mon mari.

24 octobre

Quel ensorceleur que mon beau prince !

En rentrant, cette nuit, il m'a dit, après m'avoir tendrement grondée de l'avoir attendu :

— Mon oncle m'a parlé de vous, aujourd'hui. Des racontars stupides étaient venus jusqu'à lui, colportés par des gens qui auraient intérêt à me nuire près de lui, pour le dominer à leur aise. Naturellement, j'ai profité de l'occasion pour lui faire connaître notre mariage.

— Et... qu'a-t-il dit ?

Son bras entoura mes épaules pour m'attirer contre lui. Et un sourire amusé vint à ses lèvres, anima ses beaux yeux qui m'enveloppaient de leur ardente lumière.

— Il a d'abord été fort mécontent et m'a

sommé de renoncer à vous... Et en fin de
compte, il m'a chargé de vous dire qu'il serait
très heureux de vous voir à sa prochaine visite
ici.

— Oh ! Frantz !

Je me mis à rire joyeusement.

— Comment vous y êtes-vous pris pour le
convaincre ainsi ?

— Depuis ma toute petite enfance, je connais l'art d'obtenir de ce bon oncle ce que je
veux. Il a toujours été pour moi d'une faiblesse que je ne crains pas de qualifier d'ex-
cessive, car elle m'a rendu de fort mauvais
services. Aussi me suis-je promis que nous en
userions autrement à l'égard de nos enfants,
si Dieu nous en accorde.

Il resta un moment silencieux en caressant
lentement l'épaisse natte de cheveux couleur
d'or foncé qui tombait sur mon épaule. Je me
sentais très heureuse de voir écartée toute
crainte de conflit entre l'oncle et le neveu, et
je le dis à mon mari.

— Oh ! je n'étais pas inquiet à ce sujet-là,
petite chérie ! Je sais quel est mon pouvoir
sur mon oncle et je ne crains pas les basses
manœuvres des courtisans qui l'entourent et
cherchent à le circonvenir. Ces êtres me re-
doutent, parce qu'ils se sont aperçus que je ne
suis pas homme à me laisser conduire. Serviles

comme des valets en ma présence, ils essayent
de me nuire en dessous. Je méprisais jusqu'ici
leurs manœuvres. Mais voilà qu'ils ont osé
s'en prendre à vous. Ils vont s'apercevoir,
cette fois, que je suis vraiment le maître, et
qu'on ne s'attaque pas impunément à tout
ce qui me touche.

— Qu'allez-vous faire Frantz ?

— Les envoyer en disgrâce dans leurs do-
maines pour réfléchir au danger des intri-
gues.

— Mais le prince régnant le voudra-t-il ?

— Mon oncle voudra ce que je veux.

Je me mis à rire.

— Oh ! l'orgueilleux ! Comme il est sûr de
son pouvoir ! Ainsi, il faut que tout le monde
vous obéisse ?

— Tout le monde, oui... même toi. Je suis
un despote. Tu t'en es déjà aperçue, n'est-ce
pas, petite reine ?

Il riait doucement en me regardant avec
amour... Oh ! le cher despote qui ne saurait
rien me refuser, je le sens bien !

Il y a une chose que je voudrais bien lui
demander, mais je ne l'ose pas, car je crois que
ce serait manquer à la charité. C'est d'éloigner
de Wenseid Mme de Griehl et sa nièce. Ces
deux femmes me détestent, je le devine. Mais
Mme de Warf, surtout, me hait sourdement,

passionnément. J'en ai maintenant la certitude, après avoir rencontré hier son regard, à un moment où Frantz, pour avoir un prétexte de s'asseoir près de moi, m'a pris des mains ma broderie et a disserté savamment sur les plus anciens ouvrages connus.

Je sais bien que si je le demandais à mon mari, il s'empresserait de persuader sa tante de se séparer de la baronne. Mais celle-ci est sans fortune. Ce ne serait pas bien de la priver de cette situation.

Cependant, je crains que ce soit elle, ou Mme de Griehl — ou toutes les deux, probablement — qui aient amorcé les calomnies contre moi. Et, ayant cette idée qu'elles sont mes ennemies, je trouve pénible d'être sans cesse en contact avec elles.

4 novembre

Le prince Luitpold est retourné à Vienne. Hier, il est venu faire sa visite de départ. Frantz, qui s'en doutait, avait pris soin de s'absenter. Quant à moi, j'étais allée porter un secours à des indigents, aux environs. Je n'ai donc pas vu, heureusement, cet antipathique personnage.

Frantz m'a confié ses sentiments au sujet de son cousin. Il le méprise profondément. En outre, comme je l'avais compris déjà, il a des soupçons au sujet de la mort de la princesse Stéphanie.

— Je le crois capable de ce crime, m'a-t-il dit. C'est un être brutal, avili, sans scrupules... Mais s'il en est ainsi, il a bien habilement manœuvré, car les indices probants font complètement défaut.

Je lui ai parlé de ma visite à Rosa Essler. Et sans même que je lui demande, devinant mon désir, il m'a dit qu'il ferait désormais une pension à l'excellente femme, qui a assumé la charge de la pauvre protégée de la princesse Stéphanie.

15 novembre

Le prince régnant m'a conféré le titre de comtesse de Halberg. C'est le nom d'un domaine que Frantz possède sur la frontière d'Autriche et dont il me fait la donation.

Je sais par M. de Brandel que personne n'ignore plus maintenant notre mariage. C'est un soulagement pour moi. Et de ce fait, nous nous trouvons beaucoup plus libres d'agir en public comme mari et femme. Mon cher Frantz a promptement réalisé toutes ses promesses. Il ne peut pas m'élever jusqu'à son rang, mais il me fait connaître aux yeux de tous comme son épouse.

Mme de Warf, le jour où fut connue la décision du prince régnant à mon sujet, vint me féliciter. Ses yeux avaient une lueur trouble, et ses lèvres peintes tremblaient en se forçant à sourire, à dire des mots aimables.

Elle a peur que je n'use de mon influence sur Frantz pour la faire partir, et elle essaye de m'amadouer. Mais je sens si bien qu'elle me hait, maintenant surtout qu'elle me sait la femme du prince, et qu'elle voit les hommages discrets des courtisans entourer l'humble lectrice d'hier !

Rosa Essler, à qui j'avais fait part de la décision de mon mari à son égard, m'a écrit pour m'exprimer sa reconnaissance et me prier de remercier pour elle le prince. Elle me dit qu'Elisabeth est toujours bien étrange... Il faudra que j'aille voir ces pauvres femmes un de ces jours.

17 novembre

Il y avait bien un certain nombre d'invités

pour le dîner, entre autres Mme de Woechten, redevenue très aimable pour moi. J'avais une robe blanche tout en soie souple, garnie de broderies légères que Frantz aime beaucoup. Et, pour la première fois, j'avais mis le merveilleux collier de perles qu'il m'a offert. Le regard tendrement admirateur de mon mari me dit, avant ses lèvres : « Vous êtes ravissante. » Et dans celui de nos hôtes, je lus le même jugement, qui me rendit tout heureuse, parce que je veux que Frantz soit très fier de son Odile.

Mme de Warf était aussi particulièrement en beauté, ce soir. Et elle se montrait plus insinuante, plus habilement flatteuse que jamais. Dans la soirée, Frantz s'entretient un long moment avec elle. Il semblait très gai, je l'entendais rire souvent, tandis que la baronne faisait ses mines de coquette en le regardant avec extase.

J'étais impatientée, sourdement irritée, non contre Frantz, qui reçoit par habitude, peut-être aussi par une sorte de plaisir de dilettante, ces adulations féminines, mais contre cette femme qui jalouse haineusement mon bonheur et essaye de détourner de moi, ne fût-ce qu'un instant, l'attention de mon mari. Je pensai que, décidément, il serait mieux qu'elle fût éloignée.

Nos hôtes partis, le bonsoir échangé avec la princesse Charlotte et Hilda, nous nous retirâmes dans le cabinet de Frantz. Mon mari avait un rapport à lire et à annoter. Quand il eut fini, il vint s'asseoir près de moi, sur le divan où je songeais, les yeux mi-clos.

— Il faut aller vite te coucher, mon Odile, il est très tard.

— Je n'ai pas du tout sommeil... et j'ai quelque chose à te demander.

— Quoi donc ? Mais d'abord, dis-moi pourquoi ces beaux yeux sont-ils soucieux, ce soir ?

Je cachai mon visage contre son épaule en murmurant :

— C'est parce que je me suis impatientée contre Mme de Warf.

— Contre Mme de Warf ? A quel propos ?

— Parce que c'est une coquette... et qu'elle se permet de... de chercher à se faire remarquer de toi.

Il se mit à rire.

— Oh ! ma petite chérie, cela n'a pas d'importance ! Du moment où elle m'est complètement indifférente, tu n'as rien à craindre.

— Sous ce rapport-là, je le sais bien ! Mais elle me jalouse... elle me déteste. Et c'est pénible pour moi de sentir cette hostilité sourde, de voir ces manœuvres d'habile coquetterie qui semblent me jeter un défi...

Il m'interrompit vivement :

— Pourquoi ne m'as-tu pas dit cela plus tôt, ma bien-aimée ? Je savais, certes, que cette femme te jalousait, je la savais fausse et insinuante. Mais je ne songeais pas que tu puisses en souffrir. Sois sans crainte, elle partira. Donne-moi seulement un peu de temps pour que j'amène ma tante à cette idée.

— Le temps que tu voudras, mon chéri. Il ne faut pas froisser la princesse Charlotte... Vois-tu, j'ai hésité longtemps à te faire cette demande. Il m'était désagréable de nuire à la situation d'une femme sans fortune. Et puis, je sais que la princesse Charlotte tient à sa dame d'honneur.

— Moins maintenant, car je lui ai ouvert les yeux sur les mérites de sa chère Eléonore.

— Tu prenais cependant plaisir à causer avec elle ? Je me rappelle, lors de la grande soirée, que tu te promenais sur la terrasse et que tu l'écoutais.

Il m'interrompit par un éclat de rire moqueur en m'entourant de ses bras.

— Ah ! la chère jalouse que je vois là ! Savez-vous, madame, à quoi songeait votre futur mari en ayant l'air d'écouter Mme de Warf et en lui répondant quelque peu au hasard ? Il se disait : « Elle est là-haut, der-

rière ces fenêtres, celle que j'aime, la joie de
mon cœur. Si elle l'avait voulu, elle serait ici,
près de moi. Au lieu du visage fardé, des yeux
sans âme de cette plate coquette, je contemple-
rais son délicat visage et ses grands yeux pleins
de lumière et de vie. Je lui dirais mon amour,
mon désir de l'avoir pour épouse... »

Je l'interrompis à mon tour par un baiser :

— Oh ! mon Frantz, pardon ! C'était à
moi que tu pensais !... Tu as raison, j'étais
sottement jalouse ! Dis-moi que tu ne m'en
veux pas ? C'est que je t'aime tant, vois-tu,
que je ne voudrais pas un nuage entre nous !

— Il n'y en aura jamais, je l'espère bien !
Mais dès que quelque chose t'inquiètera, dis-
le-moi, simplement, comme ce soir, ma petite
chérie. Tu sais bien que je suis tout à toi ;
mais je ne veux pas même que la moindre
apparence puisse te donner un soupçon de
crainte.

Comme il est bon et délicat ! Comme il
m'a bien comprise, mon mari bien-aimé !

— Oh ! merci, Frantz ! Oui, je te dirai tout,
tout ce qui me passera par la tête !

Il sourit avec une malice tendre et baisa
longuement mes paupières en murmurant :

— Est-il permis de craindre n'importe
quelle femme au monde, quand on a ces yeux-
là... quand on est toi, mon amour ?

1er décembre

Le prince régnant s'est réinstallé depuis quinze jours à la Résidence. Frantz reste à Wenseid cette année, à cause de moi. Nous sommes plus libres ici. Trois ou quatre fois dans la semaine, il se rend à Dennestadt pour les affaires de la principauté, d'ailleurs peu compliquées.

Le prince Louis, lui, quand il ne s'occupe plus de chasse, se plonge dans les vieux livres, dont il a une fort belle collection. Il m'a invitée à la voir. Hier, je me suis rendue à la Résidence avec Frantz et Hilda. J'y entrais pour la première fois. Les appartements sont fastueux, d'un luxe un peu lourd, sauf celui de Frantz, dont l'élégance est plus discrète. Le prince régnant a été charmant pour moi, et m'a offert une magnifique parure de diamants et de rubis. J'ai pris un intérêt sincère à ses livres, ce qui l'a extrêmement flatté. Il a déclaré ensuite à son neveu — c'est Frantz qui me l'a rapporté — que j'étais une merveille d'intelligence et de beauté. Et moi qui avais tellement peur de n'être pas adoptée par la famille de mon mari !

Frantz circonvient habilement sa tante, pour la détacher de Mme de Warf. Comme je

lui ai fait part de mon idée au sujet du rôle
joué par la baronne et Mme de Griehl dans
les bruits calomnieux répandus sur moi, il
voulait les éloigner sur l'heure. Mais je l'en ai
dissuadé. Ce n'est qu'un soupçon de ma part,
et je serais désolée de froisser la princesse
Charlotte par le brusque renvoi de cette
femme qui a su se rendre presque indispen-
sable.

Quant à Mme de Griehl, il est convenu
qu'Hilda la remerciera au mois de janvier et
lui fera une pension suffisante pour lui permettre de mener une existence honorable.

Frantz ne s'isole plus avec Mme de Warf.
Il ne semble même pas s'apercevoir qu'elle
existe. Elle doit me détester de plus en plus.

15 décembre

Mon mari est parti aujourd'hui pour Mu-
nich, où il va assister aux funérailles d'une
princesse de Bavière, sa cousine. Il y restera
une huitaine de jours afin de régler par la
même occasion différentes affaires. C'est notre première séparation et nous la trouvons
très dure. Chaque jour, nous nous écrirons,
sans préjudice de la conversation au télé-
phone.

Je l'aurais accompagné, si je n'étais fortement grippée. Le docteur Vernet s'est opposé
à un voyage dans ces conditions, surtout par
le vilain temps glacial et brumeux que nous
avons.

17 décembre

Ce matin, longue et délicieuse lettre de
Frantz. J'ai regardé et embrassé sa photo-
graphie, celle où il est si beau dans la tenue
de colonel de dragons qu'il porte avec tant
de superbe élégance... Encore six jours sans
le voir, mon bien-aimé !

Je vais mieux. La fièvre est tombée,
mais je souffre aujourd'hui d'un fort mal de
tête. Hilda, à qui j'interdis l'entrée de ma
chambre à cause de la contagion, vient de
m'envoyer un remède qui lui réussit très bien.
Sa femme de chambre me l'a apporté tout
préparé dans un verre d'eau. Je vais en prendre un peu tout à l'heure. Si ce mal de tête
ne se passe pas, j'avalerai alors le restant de
la dose... Je n'ai jamais été malade et j'ai une
grande défiance des médicaments. Mais vraiment je souffre trop aujourd'hui.

Le jour de Noël

J'ai pu me lever dans l'après-midi et je me suis installée dans mon salon. Frantz, qui me quitte le moins possible, vient de descendre pour dicter une réponse à son secrétaire. J'en profite pour noter les événements de ces derniers jours...

Personnellement, je me rappelle peu de chose. Quelque temps après l'absorption du remède, je fus prise de vomissements, de douleurs atroces. Je me souviens d'avoir vu autour de moi le docteur Vernet, les princesses. Et puis, c'est la nuit... Quand je repris conscience, j'étais faible comme un petit enfant, mais je ne souffrais pas. Frantz était près de moi, tendrement attentif, m'enveloppant du brûlant amour de son regard. Alors, je me trouvai très heureuse. Je ne cherchai pas à savoir ce qui m'était arrivé. Frantz me disait : « Ne t'inquiète de rien, mon Odile, tout va bien. Tu n'as plus qu'un peu de faiblesse, mais cela passera vite. » Et je me laissais bercer par sa voix, par ses caresses, sans essayer de me souvenir.

Mais le surlendemain, les forces revenant un peu, je questionnai :

— Qu'ai-je donc eu ? Tu es revenu plus tôt, mon ami ? Mon état s'est-il aggravé ?

— Il s'est produit une petite complication qui a maintenant complètement disparu, chérie. Ma tante et Hilda ont cru devoir me téléphoner à ce moment, bien qu'il n'y ait eu aucun réel motif d'inquiétude.

Je crois qu'il ne m'a pas dit la vérité. Il y a autre chose. Il paraît préoccupé. La princesse Charlotte est malade depuis deux jours, et Hilda a une mine complètement défaite. Mais, quand je l'interroge, elle répond :

— Je n'ai rien, Odile, rien du tout.

Maintenant que j'ai repris toute ma lucidité d'esprit, je sens comme un mystère autour de moi. Il faudra que j'interroge encore Frantz.

Aujourd'hui, jour de Noël, le père Lambert, sur ma demande, m'a apporté la sainte communion. Frantz a paru bien ému. J'ai beaucoup prié pour lui, mon cher, si cher mari ! Comme il me soigne bien ! Comme il est attentif et délicat !

26 décembre

Je sais !... Oh ! l'épouvantable chose ! Frantz ne voulait rien me dire, parce qu'il me jugeait pas encore assez bien remise. Sur mes instances, il a enfin parlé...

J'ai été victime d'une tentative d'empoisonnement. L'une des coupables — ou, plus exactement, l'instrument — est Mme de Griehl. Chargée par Hilda de préparer le remède, comme elle le faisait habituellement pour la princesse, elle y a substitué un poison qui provoque le brusque arrêt du cœur, avec toutes les apparences de l'embolie. Mais, à dose moindre, ce sont des vomissements, des douleurs et une sorte de torpeur comateuse, ce qui s'était produit pour moi. Soignée aussitôt énergiquement, j'ai pu être sauvée, et mon excellente constitution permet de penser que je me remettrai bien vite, sans suites fâcheuses.

Quand la dame d'honneur connut l'avortement de son crime, elle s'enfuit avec sa nièce. Mais Frantz, après une rapide enquête concluant à sa culpabilité, lança aussitôt la police sur les traces des deux femmes. Elles furent rattrapées, amenées à Dennestadt. Mme de Griehl, complètement effondrée, avoua tout. Elle avait versé le poison, qui lui avait été fourni par Mme de Warf. Celle-ci, affolée par sa passion pour Frantz et par sa furieuse jalousie contre moi, lui avait dit à plusieurs reprises :

— Je veux me venger, ruiner son odieux bonheur. Vous m'aiderez, s'il le faut, ma tante ?

Et Mme de Griehl, pleine de rancune contre moi, habilement excitée par sa nièce, répondait affirmativement. Quand l'occasion se présenta, elle voulut reculer, assura-t-elle aux magistrats ; mais sa nièce avait pris un tel empire sur elle qu'elle finit par céder et consomma le crime.

Quant à Mme de Warf, il fut plus difficile d'obtenir des aveux. Elle niait, en déclarant que si elle avait fui, c'était pour ne pas abandonner sa tante. Mais voyant que cette tactique restait sans effet et poussée dans ses derniers retranchements, elle se décida à tout avouer, à dire l'étrange, l'incompréhensible chose.

De même que Mme de Griehl n'avait été qu'un instrument entre les mains de sa nièce, celle-ci était l'intermédiaire d'un autre. Et c'est le nom de cet autre qui me fit sursauter de stupéfaction, quand Frantz le prononça.

— Le prince Luitpold !

Je regardai mon mari avec ahurissement.

— Oui, le prince Luitpold... Tu n'y comprends rien non plus, ma pauvre chérie ? Qu'est-ce que cet homme pouvait avoir contre toi ?... Et cependant Mme de Warf n'a certai-

nement pas inventé cela. D'ailleurs, le prince
a pris soin de le confirmer lui-même. Au moment où j'allais partir pour Vienne, afin de
le voir et de l'interroger, je recevais la nouvelle qu'il venait de se suicider.

— Ah ! c'est affreux !... Mais qu'est-ce que
cela veut dire, Frantz ?

— Je le cherche en vain. Mme de Warf, je
m'en suis convaincu en l'interrogeant moi-
même, ne sait rien à ce sujet. Le prince Luitpold, qui l'avait courtisée, autrefois, la fit venir
un jour au pavillon de chasse, l'amena à
avouer sa haine jalouse contre toi, et l'attisa
encore, cette haine, par des propos moqueurs ;
puis il parla de vengeance... Ce fut tout pour
cette fois. Mais, il y a un mois, il lui donna
rendez-vous sur la frontière et là, lui offrit
une fortune si elle te versait ce poison. Il ne
pouvait supporter, assurait-il, l'idée de ma
mésalliance... Mme de Warf est criblée de
dettes. Ses créanciers commencent à la pour-
suivre et elle savait qu'un scandale allait écla-
ter un jour ou l'autre. Affolée par cette idée,
prétend-elle, elle finit par accepter l'abominable marché !... Quant au motif véritable qui
guidait le prince Luitpold dans ce crime, elle
l'ignore. Car, naturellement, aucune personne
sensée ne croira qu'il jouait une si terrible par-

tie simplement parce que mon mariage lui
déplaisait.

— Mais alors ?...

— Alors, je crois que ceci se relie au mystère de ta vie, mon Odile. Mais bien loin de
l'éclaircir, cela ne le rend que plus effarant
encore.

Effarant, oui... Comment ce prince, que je
n'ai vu qu'une fois, a-t-il pu s'attaquer ainsi à
moi ? Quelle terrible énigme se cache là ?

Nous cherchons en vain. Frantz est très
soucieux, je m'en aperçois, bien qu'il essaye
de me le dissimuler. A un moment, je lui dis
tristement :

— Ah ! tu vois bien quels ennuis je t'occa-
sionne ! J'aurais mieux fait de...

Mais il ne me laisse pas achever. Me prenant dans ses bras, il me serre contre sa poitrine :

— Tais-toi ! Ne dis jamais cela ! Tout le
bonheur que tu me donnes, je ne croirai jamais le payer trop cher, tu entends ?

Oh ! oui, je l'entends et je le crois ! Au
milieu des épreuves, son amour se manifeste
plus fort, plus ardent. Et ma confiance en lui
augmente ; quelle que soit la révélation que
l'avenir nous apporte, il me restera attaché
comme aujourd'hui.

TROISIÈME PARTIE

6 *janvier*

Notre séjour en France va être avancé. Le docteur Vernet estime qu'Hilda et moi — et même la pauvre princesse Charlotte que ces événements ont terrassée — avons besoin d'un changement d'air. M. de Brandel part cette semaine pour louer une villa au Cap d'Antibes, et nous irons nous y installer vers la fin du mois. En avril, nous gagnerons Paris. Puis Frantz parle d'un séjour en montagne. Je le crois désireux de me ramener le plus tard possible dans ce Wenseid où j'ai failli mourir.

Le procès des deux dames d'honneur s'instruit. Rien de nouveau n'a été révélé. On essaye d'étouffer le nom du principal coupable. Mais il se chuchote tout bas, avec les plus extraordinaires commentaires, paraît-il. C'est une affaire sensationnelle, qui fait grand bruit dans le monde entier. Bien que Frantz n'en dise rien, je devine qu'il lui est très désagréable que mon nom y soit mêlé.

Je suis complètement remise maintenant. Il ne me reste qu'un peu de faiblesse, un peu de nervosité. Cette idée que j'avais, que j'ai peut-être encore des ennemis si acharnés, l'angoisse de ce mystère, l'effroi rétrospectif de l'attentat dont j'ai été la victime, tout cela m'oppresse, me tient dans un état de souffrance morale que je cherche à dissimuler à mon cher Frantz, assez vainement, d'ailleurs.

J'ai reçu de nombreuses preuves de sympathie. Beaucoup sont intéressées ; mais quelques-unes sont certainement sincères. Rosa Essler m'a écrit pour me dire qu'elle avait bien remercié Dieu d'avoir permis que j'échappasse à la criminelle tentative de « l'horrible prince ». « Croyez-vous bien maintenant, gracieuse dame, que ce soit lui qui ait tué sa sœur ? » ajoute-t-elle.

Oh ! oui, je le crois, j'en suis sûre. Et Frantz aussi !

Demain, je dois aller à Dennestadt pour différents achats. J'en profiterai pour faire une petite visite à Rosa. Frantz m'a dit qu'il m'accompagnerait.

— Cette pauvre femme a été injustement

accusée ; en allant chez elle, je prouverai que je la tiens pour innocente.

Je vois d'ici l'ahurissement et la joie de l'excellente femme en se trouvant en face de mon mari, son futur souverain, si aimé du peuple !

7 janvier

Mon Dieu, est-ce qu'enfin vous nous enverriez la lumière ? Est-ce que je puis croire à ces indices extraordinaires ?

Cet après-midi, mes courses faites, je suis allée rejoindre Frantz à la Résidence, d'où nous sommes partis tous deux dans son automobile pour gagner la petite rue tranquille où demeure Rosa. Ainsi que je l'avais prévu, la brave femme fut toute saisie à la vue de Frantz. Elle multipliait les révérences, et balbutiait en répondant à ses paroles bienveillantes. Puis elle nous avança des fauteuils et voulut rester debout. Mais nous l'obligeâmes à s'asseoir. Et mon mari commença à l'interroger sur la princesse Stéphanie, sur ses rapports avec le prince Luitpold. Elle répéta ce qu'elle m'avait dit déjà, avec des détails plus circonstanciés, en ajoutant que la princesse lui avait confié un jour, peu de temps avant sa mort tragique, que son frère lui inspirait une insurmontable terreur.

Nous étions là depuis un quart d'heure, lorsqu'on frappa à la porte. Rosa se leva en demandant :

— Voulez-vous me permettre ?...

— Mais oui, allez, madame Essler, dit Frantz.

Rosa se dirigea vers l'étroit couloir et nous l'entendîmes ouvrir sa porte et chuchoter. Puis quelqu'un entra dans la pièce voisine et la vieille femme revint.

— Veuillez m'excuser. C'est la protégée de ma chère princesse qui vient de faire des courses...

Je demandai :

— Est-elle toujours aussi étrange ?

— A peu près, madame.

— Faites-la venir un peu, voulez-vous ?

Elle alla ouvrir la porte communiquant avec la pièce voisine et appela :

— Elisabeth !

L'innocente s'avança et vint nous faire une sorte de révérence. Ses yeux vagues, effleurant seulement Frantz, s'arrêtèrent sur moi, en devenant presque conscients, comme l'autre jour. Elle demanda :

— Comment vous appelez-vous ?

— La comtesse de Halberg.

Elle secoua la tête !

— Non, pas Halbert...

Rosa grondait déjà :

— Voyons, Elisabeth... voyons...

Je lui imposai silence du geste. Elisabeth continuait à me regarder fixement. Puis elle se tourna vers Rosa :

— A-t-on retrouvé la petite fille ?

Je demandai :

— Quelle petite fille ?

— La fille... la petite Helena. A elle, je dois donner...

Elle s'arrêta, hésitante.

— Quoi donc, Elisabeth ?

Tout en parlant, je posais ma main sur son épaule et je la regardais avec un intérêt affectueux.

Une sorte de sourire vint éclairer sa physionomie, lui donner presque une expression d'intelligence.

— Je vais vous montrer... à vous toute seule, parce que vous avez les yeux du portrait...

Elle m'entraîna vers la fenêtre. Sa main glissa entre les plis de son corsage, en retira un grand sachet de laine brune. Avec ses ongles, elle enleva quelques points, puis sortit des papiers et deux photographies.

— Regardez... regardez...

Elle me tendait ces dernières. L'une représentait un homme de trente-cinq à quarante ans, au visage fin, aux yeux vifs et tendres. Sur l'autre, ils étaient trois : le même homme, puis une jeune femme de physionomie agréable qui tenait sur ses genoux un petit enfant.

— Qui est-ce, Elisabeth ?

— Là, c'est ma princesse, avec sa petite fille et à côté, le Français, son mari.

— Ah ! M. de Montsoreil !... Comme il est bien !... Regardez, Frantz.

Mais Elisabeth tendit la main pour reprendre les portraits :

— Non, non, donnez !

— Vous ne voulez pas que je les montre à mon mari, Elisabeth ?

Elle hésita et jeta un coup d'œil défiant sur le prince qui s'avançait.

— « Elle » m'a dit de ne les montrer à personne...

— Ma femme ou moi, c'est la même chose, déclara Frantz.

Il prit les photographies. A peine y avait-il jeté les yeux qu'une exclamation s'échappait de ses lèvres :

— Mais vous ressemblez au marquis de Montsoreil, Odile !

— Vraiment?... Rosa me l'avait déjà dit...
N'est-ce pas, Rosa?

— Oui, madame. Moi qui ai connu M. de
Montsoreil vivant, j'ai été frappée par cette
ressemblance la première fois que je vous ai
vue.

Frantz murmura :

— C'est extraordinaire ! La coupe du visage, les yeux, le sourire...

Il s'interrompit. Son regard venait de tom-
ber sur les papiers que tenait Elisabeth en les
cachant de son mieux entre ses doigts.

— Qu'est-ce que cela? Que tenez-vous
là?

— Rien... rien...

Son regard se remplissait d'effroi et elle
recula un peu.

— Mais si, vous avez des papiers. Montrez-
les-moi.

— Non... non...

Mon cher Frantz, accoutumé à être obéi
immédiatement, n'est pas la patience même,
sauf à l'égard de sa femme. Ses sourcils se
rapprochèrent et l'irritation durcit soudaine-
ment son regard. Alors, j'intervins aussitôt :

— Donnez-les-moi, voulez-vous, Elisabeth? Je vous promets de vous les rendre.

— A vous, oui... mais pas à lui...

Elle jetait un coup d'œil de défiance apeurée vers Frantz.

— Donnez, Elisabeth...

Je tendais la main. L'innocente y posa les papiers. J'en dépliai un, au hasard... Frantz, penché derrière moi, s'exclama sourdement :

— L'acte de mariage de la princesse Stéphanie !... Ainsi, c'était bien vrai !... Mais comment se trouve-t-il entre les mains de cette femme ?

Un autre papier était l'extrait de naissance d'Helena-Marie-Stéphanie de Montsoreil, née à Florence, fille d'Hugues-Marie, marquis de Montsoreil et de Stéphanie-Marie-Charlotte, princesse de Drosen. Puis venait l'acte de baptême. Et enfin une enveloppe cachetée, portant ces mots : « Pour mon mari et pour ma fille, si je meurs subitement. »

Pendant un moment, nous nous regardâmes sans parler. Rosa considérait avec stupéfaction l'innocente, dont le regard inquiet ne quittait pas les papiers que Frantz avait pris pour mieux les examiner.

— Vous ne saviez pas qu'elle possédait cela, Rosa ? demandai-je.

— Certes non, madame ! Jamais je n'ai eu l'idée... Qui vous a donné cela, Elisabeth ? Où l'avez-vous pris ?

Elisabeth hésita... Son regard, en ce moment, était presque intelligent. Je mis ma main sur son bras en disant avec douceur :

— Racontez-nous cela. Nous sommes des amis de la princesse Stéphanie. Mon mari est son cousin et il voudrait savoir tout ce qui s'est passé avant sa mort.

— Oui... Je sais, moi... Elle m'a dit un jour : « Petite Elisabeth, j'ai des papiers très précieux. Je vais te les confier. Tu les cacheras bien et tu ne les donneras à personne d'autre que mon mari ou ma fille. Si quelqu'un t'interroge, tu répondras que tu ne sais rien. » Et je lui ai obéi. Mais je ne « les » ai pas revus encore... « Il » avait des yeux comme les vôtres et la princesse disait que la petite fille lui ressemblait...

Frantz, s'adressant à Rosa, dit vivement :

— Cette petite fille est-elle vraiment morte ?

— Je le suppose. C'est Mme de Menan qui l'annonça...

— Mme de Menan !... Mais cette femme était une complice de... du coupable ! Dès lors, ce qu'elle a dit peut n'être qu'un mensonge... Qui était resté à Florence avec l'enfant ?

— La nourrice, une Autrichienne, choisie par Mme de Menan. Pour mon compte, elle ne me plaisait guère. Mais elle soignait très bien l'enfant et paraissait une honnête femme. La princesse en était fort satisfaite. Quand la petite fille tomba malade, au moment de la mort de la princesse Stéphanie, ce fut Berthe qui annonça...

— Berthe !

Je m'avançai vers la vieille femme et lui saisis le bras :

— Vous avez dit Berthe ?

— Mais oui, gracieuse dame... Cette femme s'appelait ainsi...

Je me tournai vers mon mari :

— Vous entendez, Frantz ?... Berthe, comme la servante de Mme Herseng...

— Par exemple !... Voilà qui nous ouvre des horizons invraisemblables !... Et en ce cas... Voyons, ne pouvons-nous penser que cette fausse Mme Herseng et Mme de Menan ne font qu'une seule et même personne ?

— Mais oui, nous pouvons le penser... Oh ! Frantz ! quel espoir !... Ce serait trop beau, trop beau !... Dites-moi, Rosa, comment était cette dame de Menan ?

La vieille femme, qui ne comprenait pas, regardait avec stupéfaction nos physionomies émues, agitées.

— Comment elle était, madame ?... Une personne grande et forte, avec des cheveux châtains, un visage assez beau, mais froid, des yeux qui regardaient de côté...

— Comme les siens !... Je me rappelle bien ses cheveux châtains qui ont grisonné peu à peu... Et elle avait, en effet, de beaux traits... Avez-vous remarqué, Rosa, un grain de beauté au coin de la bouche ?

— Oui, madame, et la princesse Stéphanie lui en faisait quelquefois compliment.

Je saisis la main de Frantz.

— C'est elle ! C'est elle ! Oh ! mon ami, quelle découverte !

— Inouïe, en effet ! Ainsi, vous seriez la fille de ma cousine !...

Son regard étincelait de bonheur.

— Et la criminelle tentative dont vous avez failli être la victime s'explique de cette façon... Tout s'explique : l'effroi de cette femme quand je vous ai offert de venir près de ma sœur, votre enlèvement... Mais comment le misérable ne vous a-t-il pas supprimée tout enfant ? Un crime de plus ne devait pas l'effrayer !

Tandis que nous parlions ainsi, Elisabeth ne quittait pas des yeux les papiers que mon mari tenait toujours. Elle me toucha le bras et demanda à voix basse :

— Rendez-les-moi.

J'échangeai un coup d'œil avec Frantz. Mon mari répondit :

— Il faut que je les garde. Je prendrai connaissance du papier cacheté ; les autres documents vont me permettre de réhabiliter immédiatement la mémoire de ma pauvre cousine.

Je pris alors les mains d'Elisabeth et je lui dis avec douceur :

— Vous deviez remettre ces papiers au mari et à la fille de la princesse, n'est-ce pas, Elisabeth ?

— Oui, madame.

— Eh bien ! je suis sa fille, Helena... Helena de Montsoreil. Ainsi, vous pouvez, vous devez me les laisser.

Elle me dit sans surprise :

— Ah ! vous êtes sa fille... Oui, je voyais bien que vous aviez les yeux du Français... Alors, gardez les papiers...

Rosa, ahurie, balbutia :

— Qu'est-ce qu'elle dit ?... Qu'est-ce que vous dites ?... La fille de la princesse ? Mais elle est morte !

— Voilà ce qu'il faudra prouver ! dit allégrement Frantz. Pour mon compte, je n'ai plus de doute : il y a eu quelque odieuse manœuvre là-dessous.

En peu de mots, il mit Rosa au courant du mystère qui entourait ma vie. Puis je fis le portrait de Berthe, rousse, corpulente, avec une mine revêche et de gros sourcils broussailleux... Et l'ancienne femme de chambre déclara que la nourrice de la petite Elena était ainsi.

Après avoir demandé à Rosa le plus absolu silence sur ce qu'elle venait d'entendre, nous quittâmes son petit logement, non sans avoir serré la main de la pauvre fille, choisie par la défunte princesse — je n'ose encore dire ma mère — comme la détentrice de ce dépôt précieux. En une heure d'inquiétude plus aiguë, seule à Wenseid, loin de son mari et de sa fille, elle avait sans doute rencontré le regard d'affection passionnée de cette créature dévouée et, obéissant à une inspiration subite, elle lui avait remis ces papiers, avec ordre de les dérober aux yeux de tous et de ne les remettre qu'aux intéressés. Peut-être cela se passait-il seulement quelques jours avant l'attentat... et le criminel et ses complices avaient en vain cherché les preuves qu'ils voulaient anéantir.

Je tremblais d'émotion en prenant place dans l'automobile qui allait nous ramener à Wenseid. Tandis que nous traversions la ville, Frantz me tenait la main et il me regardait

sans rien dire, avec une joie tendre qui me faisait frissonner de bonheur.

Aussitôt hors de Wenseid, quand l'automobile roula dans la campagne, il me dit :

— Ouvre maintenant cette enveloppe, ma
chérie. Nous y trouverons peut-être d'autres
indices.

— Mais... si je ne suis pas sa fille ?

— Tu l'es, je le sens, j'en suis sûr. Et d'ailleurs, de toute façon, je dois prendre connaissance des dernières volontés de cette pauvre
cousine...

Mes doigts frémissaient en ouvrant l'enveloppe. Elle contenait une feuille double, cou-
verte d'une fine écriture féminine. Et je lus :

« Mes biens-aimés,

« Si Dieu m'enlevait à vous de façon subite, je veux vous laisser quelques conseils su-
prêmes. Vous avez un ennemi puissant,
acharné. Je le nomme en frissonnant de douleur, car c'est mon frère unique. Tu le sais,
toi, mon cher Hugues, mais si tu venais à
manquer à notre enfant, il faut qu'elle connaisse les dangers qui la guettent. Il faut
qu'elle se défie, et qu'elle veille. »

Venaient ensuite des recommandations diverses à M. de Montsoreil, puis de maternels conseils pour l'enfant. On sentait la pauvre princesse hantée par la crainte d'une mort prochaine, d'une mort violente... A la fin, elle ajoutait :

« Je n'ai vraiment près de moi que deux créatures en qui j'ai toute confiance : ma femme de chambre Rosa Essler et ma protégée, la pauvre Elisabeth. Sois toujours bonne pour elles, ma petite Helena. Et prie pour ta mère. »

J'avais des larmes plein les yeux en achevant cette lecture. Je baisai la feuille en murmurant :

— Suis-je vraiment votre fille ? Oh ! dites-le-moi !... Dites que je ne me trompe pas !

Frantz me prit le papier des mains et le relut attentivement. Il fit observer :

— Cela nous prouve jusqu'à l'évidence que la pauvre femme croyait son frère capable de tout... Mais maintenant, il faudrait retrouver Mme de Menan et cette Berthe. J'espère beaucoup en ce détective dont je t'ai déjà parlé. Il prétend avoir découvert une piste. Je vais lui communiquer ces faits nouveaux et lui dire de mener une enquête à Florence.

Je suis ce soir dans un état d'agitation inexprimable. Frantz cherche en vain à me calmer. Nous n'avons rien dit encore à la princesse Charlotte et à Hilda. Nous attendons pour cela une certitude absolue.

10 janvier

Frantz a reçu aujourd'hui un télégramme du détective. Il croit avoir découvert celles que nous cherchons. Elles se cachent à Lausanne sous le nom de Mme Muller et de sa servante Louisa.

Faites que ce soient bien elles, mon Dieu !

12 janvier

Le détective a écrit, donnant des détails. Cette Mme Muller habite une villa isolée avec sa servante. Elle est en ce moment très malade. Son état est sans espoir, assure-t-on. Le policier n'a pas pu la voir ; mais le portrait qu'il trace de la servante est conforme à celui de Berthe.

Frantz a dit aussitôt :

— Il faut que je parte pour Lausanne, que je voie cette femme et que je la décide à parler.

— Je t'accompagne, ai-je déclaré. Tu t'impatientes un peu trop vite, quand tout ne va pas comme tu veux. Et cette malheureuse femme tentera probablement de nier jusqu'au bout.

14 janvier

A peine arrivés, nous sommes allés, cet après-midi, sonner à la villa indiquée. Comme témoins de ce que dirait celle que nous pensions être Mme de Menan, nous avions amené M. de Brandel et le docteur Vernet. La porte nous fut ouverte par Berthe, vieillie et maigrie, qui eut un sursaut de terreur à notre vue.

Frantz demanda :

— Nous voulons voir Mme de Menan.

— Mme de Menan !

Elle nous regardait d'un air affolé. Je l'écartai doucement et entrai dans le vestibule.

— Où est-elle, Berthe ?

— Elle... Mais... elle n'est pas ici !

Frantz dit brièvement :

— Inutile de nier. Nous savons tout et nous avons à lui parler... Montez avant, Odile, nous vous suivons.

— Non !... Elle est très malade !

Et Berthe cherchait à me saisir le bras. Mais Frantz la repoussa.

— N'aggravez pas votre cas, qui est assez mauvais comme cela, dit-il sévèrement. Et ne cherchez pas à fuir, car des policiers vous cueilleraient au-dehors.

Terrorisée, elle nous laissa passer. Nous montâmes et, le cœur battant, je frappai à une porte.

Une voix faible répondit : « Entrez. » Et je pénétrai dans la chambre, laissant les trois hommes sur le palier, à portée de tout entendre.

Celle que j'avais connue sous le nom de Mme Herseng était étendue sur une chaise longue, devant la fenêtre. Un souffle court soulevait sa poitrine. Elle était fort rouge ; mais à ma vue, tout le sang disparut de son visage que l'épouvante convulsait.

— Vous !... Vous !...

— Oui, moi, madame de Menan.

Elle bégaya :

— Que dites-vous ?

— Je dis que c'est moi, Helena de Montsoreil, qui viens vous demander compte de votre complicité dans l'assassinat de ma mère, dans la fausse nouvelle de ma mort.

Elle cria :

— Comment avez-vous su ?...

Mais, aussitôt, elle tenta de se ressaisir :

— Qu'avez-vous inventé ? Vous essayez de vous faire passer pour la fille d'une princesse, près de votre prince...

Le sang revenait de nouveau à son visage. Elle répéta :

— Vous essayez... Vous essayez...

— Je suis la fille de la princesse Stéphanie, je le sais, j'en suis sûre. Vous m'avez élevée sous un faux nom, après m'avoir fait passer pour morte. Mais on n'a pu retrouver la trace de ce décès à Florence. Vous voyez qu'il vaut mieux avouer, réparer vos fautes, pour que Dieu vous fasse miséricorde.

Elle ne répondit pas. Je vis que l'oppression l'étouffait. Au bout d'un moment, elle dit à mi-voix :

— Je sais bien que tout est fini pour moi en ce monde. Tout croule... « Il » m'avait assuré cependant que nous n'avions rien à craindre. Mais le Ciel a permis cette rencontre entre vous et le prince Frantz... Alors, « il » vous a fait enlever par des hommes à lui, ceux qui avaient... commis l'autre crime. Je crois qu'il avait l'intention de vous faire disparaître, vous aussi... Il n'avait pas osé quand vous étiez toute petite enfant parce que, dans sa jeunesse, une bohémienne lui avait prédit qu'un enfant mort lui serait fatal. Alors, il vous confia à moi, et m'enjoignit d'aller habiter en France avec vous. En échange du sacrifice que je faisais ainsi, il sauvait mon fils, compromis dans des spéculations malhonnêtes, ruiné et prêt au suicide. Il l'a toujours aidé et l'a fait parvenir à la fortune, à la situation qu'il occupe aujourd'hui...

Elle parlait d'une voix lente, sans timbre. L'aveu semblait sortir automatiquement de sa bouche.

— ... J'ai commis toutes ces fautes pour mon fils. Et aujourd'hui, il délaisse sa mère. Je lui ai fait écrire par Berthe que j'étais très malade, mais il n'est pas encore venu. Il sait bien cependant que j'ai perdu mon âme pour lui. Mais il est riche maintenant. Que lui importe sa mère !

Elle s'arrêta en suffoquant. Ses traits se crispaient de douleur... Je me penchai et lui pris la main.

— Quelqu'un ne vous abandonnera pas, si vous recourez à Lui, Dieu vous pardonnera vos fautes dès que vous en aurez le repentir.

— Dieu !... Ah ! comme je l'ai oublié ! Et me pardonnera-t-il ce que j'ai fait ? Car j'ai été complice du meurtre de la princesse, après l'avoir trompée par mon prétendu dévouement ; j'ai ensuite juré qu'elle n'était pas mariée et jeté de la boue sur sa mémoire ; j'ai faire croire à votre mort, j'ai été votre geôlière pendant des années ; j'ai accumulé les mensonges, jusqu'au jour où j'ai introduit chez vous ces hommes, les exécuteurs des hautes œuvres du prince Luitpold. A ce moment-là encore, j'étais la complice du crime que je prévoyais... Et mon cœur endurci ne tressaillait même pas. Jusqu'à ces derniers jours, j'ignorais le remords. Mais je sens que la mort est toute proche, et j'ai peur.

Elle appuya ses mains sur ma poitrine haletante.

— J'ai des crises d'étouffement, pendant lesquelles je crois passer.

— N'avez-vous pas vu un prêtre ?

Elle secoua négativement la tête.

— Voulez-vous que je vous en amène un ?

Elle hésita avant de répondre :

— Oui, je veux bien.

— En ce cas, je vais le chercher... Vous n'avez pas autre chose à me dire ?

Elle me regarda longuement. Puis, d'une voix coupée par l'essoufflement, mais distincte cependant, elle prononça :

— Je vous demande pardon, Helena de

Montsoreil, princesse de Drosen. Et puisque vous êtes charitable pour celle qui a tant péché, priez quelquefois pour moi.

— Je vous pardonne, madame, et je vous promets de prier pour vous.

Elle murmura :

— Merci. Quand le prêtre sera venu, je pourrai mourir... Et qu'on n'inquiète pas mon fils. Il n'était pas complice, il n'a deviné que plus tard ce que j'ai fait... et il en a profité. Ce sera déjà assez terrible pour lui de voir son nom déshonoré par ma faute.

Je quittai cette chambre où bientôt commencerait une agonie ; je chargeai le docteur Vernet d'aller chercher un prêtre ; puis je remontai avec mon mari et M. de Brandel dans l'automobile qui nous avait amenés. Nous étions silencieux, avec des regards pleins de pensées... Mais quand je fus seule avec Frantz dans notre appartement d'hôtel, je me jetai à son cou en m'écriant :

— Enfin, mon Frantz chéri, tu sais qui je suis ! Tu ne souffriras plus de ce mystère ! Ah ! que Dieu soit béni !

Et j'ai senti qu'il frémissait de bonheur en m'embrassant.

15 janvier

Ce matin, le docteur Vernet a appris que Mme de Menan était morte dans la nuit. Je prie Dieu qu'il fasse miséricorde à cette malheureuse, si longtemps endurcie, mais repentante à ses dernières heures.

Ce soir, nous repartons pour Dennestadt. Je suis un peu fatiguée par toutes ces émotions, mais si heureuse !... Pour lui, surtout. Car je sais bien que l'énigme de mon origine lui était pénible, et aussi la situation fausse, mal définie, qui était officiellement la mienne près de lui. Aujourd'hui, de par ma filiation maternelle, je suis son égale et il m'a déjà appris qu'il obtiendrait sans peine de son oncle que je sois considéré comme une princesse de la maison de Drosen.

17 janvier

Une surprise nous attendait à la gare de Dennestadt. Le prince régnant était là, avec les princesses et les principaux fonctionnaires de la cour. Il vint à nous et me baisa la main en disant :

— J'ai voulu être le premier à vous dire
toute notre joie, ma chère nièce. Que le Sei-
gneur soit remercié d'avoir enfin permis que
la lumière soit faite sur une épouvantable in-
justice !

Et, se tournant vers les assistants, il dit à
haute voix :

— Vous pouvez, messieurs, venir offrir vos
hommages à la princesse Helena de Drosen,
votre future souveraine.

Comme en un rêve, je vis tous ces gens
défiler devant moi, s'incliner très bas et me
baiser la main. Frantz vient de me dire que
j'avais eu une attitude remarquable : gracieuse et digne à la fois. C'est bien machinalement, alors, car je ne savais plus trop où
j'en étais.

Notre Hilda était radieuse, naturellement.
Quant à la princesse Charlotte, elle m'a glissé
à l'oreille :

— J'avais toujours eu l'idée que vous étiez
de noble famille. Mais de « notre » famille,
c'est encore mieux !

Frantz a été très ému de cette reconnaissance publique de mon nouveau rang, à laquelle lui non plus ne s'attendait pas. C'est
une délicate surprise du prince régnant, tout
heureux, l'excellent homme, de faire plaisir à
son neveu bien-aimé.

Nous sommes à la Résidence. Frantz en veut à Wenseid, depuis l'attentat dont je manquai être la victime. Et moi, j'aime mieux ne pas revoir encore ces lieux où se perpétra le drame terrible qui me fit orpheline. A notre retour de France, les impressions pénibles auront perdu de leur acuité, et nous pourrons songer à réintégrer le petit château où j'ai connu tant d'heures si douces, depuis que je suis la femme de Frantz.

30 janvier

Nous partons demain pour le Midi. J'ai été voir ce matin Rosa et Elisabeth. Celle-ci m'a baisé les mains en m'appelant « petite princesse ». Puis elle m'a dit :

— Ma princesse est contente dans le ciel. Elle voit que je vous ai bien remis les papiers.

Ma pauvre maman ! Oui, elle doit être contente de voir que justice a été faite enfin et que son enfant est heureuse.

Quant à Rosa, elle se demande encore si elle ne rêve pas, si Dieu lui a vraiment accordé le bonheur de voir vivante la fille de sa chère maîtresse. Toutes deux seront désormais, par nos soins, non seulement à l'abri du besoin, mais dans l'aisance jusqu'à la fin de leurs jours. C'est le moins que nous puissions faire pour ces deux femmes à qui nous devons tant.

6 février

M. de Brandel est décidément un homme intelligent. Il nous a loué la plus délicieuse villa du monde, un vrai logis d'amoureux, perdu dans la verdure et les fleurs, à travers lesquelles nous apercevons le bleu lumineux de la mer. Comme je vais me remettre rapidement, ici, de toutes ces secousses !

29 février

Mme de Griehl et sa nièce viennent d'être condamnées à la détention perpétuelle. Berthe encourt une peine moindre. On a su que les aides et exécuteurs des forfaits du prince Luitpold, tués lors de l'accident d'automobile, à la suite de mon enlèvement, étaient deux Autrichiens, condamnés autrefois pour tentative d'assassinat, puis évadés, et depuis lors ayant su toujours échapper à la police. Le prince Luitpold les payait grassement pour être les exécuteurs de ses vengeances et le délivrer des personnes gênantes... Cet homme était un monstre ! Et je suis sa nièce ! Et mon fier, mon loyal Frantz est de la même race que lui !

Cet après-midi, je travaillais sur la petite terrasse fleurie que nous nous sommes réservée. Frantz, assis en face de moi, rêvait en me regardant. Je lui demandai :

— A qui penses-tu ?

— A toi, mon Odile.

Quand nous sommes seuls, il m'appelle toujours ainsi. C'est le nom sous lequel il m'a connue et aimée, le nom cher qu'il sait dire si amoureusement.

Il se leva et vint s'asseoir tout près de moi.

— Je songeais que tu avais bien repris ta mine d'autrefois. L'air du Midi a fait merveille.

— Oui... avec tes soins, ton affection.

Laissant là mon ouvrage qui glissa à terre, je lui pris les mains, et longtemps nous nous regardâmes, dans un silencieux échange d'amour, tandis qu'autour de nous glissaient les ardentes senteurs méridionales et se répandait la clarté fluide du soleil prêt à décliner.

FIN

ACHEVÉ   D'IMPRIMER   LE
18 NOVEMBRE 1969 SUR LES
PRESSES   DE   L'IMPRIMERIE
BUSSIÈRE, SAINT-AMAND (CHER)

— Nº d'édit. 13 A. — Nº d'imp. 1502. —
Réimpression déposée dans le 4ᵉ trimestre 1969.
Imprimé en France